Blaques et devinettes idiotes sur l'école

Joseph Rosenbloom

Le Ballon

ISBN 90 374 3183 6
D - MM - 4969 -19

Copyright édition française: (c) MM Le Ballon SA, Malle - Belgique.

Tous droits réservés. Toute reproduction, même partielle, par quelque procédé que ce soit, est interdite sans autorisation préalable de l'éditeur.

Adaptation française: Nathalie Delpierre / Tois-Points et SPIP - Bruxelles.

Titre original: 696 Silly School Jokes & Riddles © 1986 Joseph Rosenbloom.
Copyright illustrations © 1986 Dennis Kendrick.
Publié pour la peremière fois aux États-Unis en 1986 par Sterling Publishing Company, Inc. USA.

Publié en accord avec Sterling Publishing Compagny, Inc.

Sommaire

1. Les choses importantes d'abord

LE PROFESSEUR: Quel âge avais-tu lors de ton dernier anniversaire?
L'ÉLÈVE: Sept ans.
LE PROFESSEUR: Quel âge auras-tu lors de ton prochain anniversaire?
L'ÉLÈVE: Neuf ans.
LE PROFESSEUR: C'est impossible.
L'ÉLÈVE: Si, c'est possible. J'ai huit ans aujourd'hui.

❋

Quelle est la première chose qu'un petit serpent apprend à l'école?

L'hissstoire.

❋

Pourquoi les petits vampires restent-ils debout toute la nuit?

Parce qu'ils planchent sur un examen sanguin.

❋

LE PROFESSEUR: Alice, cite quatre membres de la famille des chats.
ALICE: Le père, la mère, le fils et la fille.

❋

LE PROFESSEUR: Pablo, cite six animaux sauvages.
PABLO: Deux lions et quatre tigres.

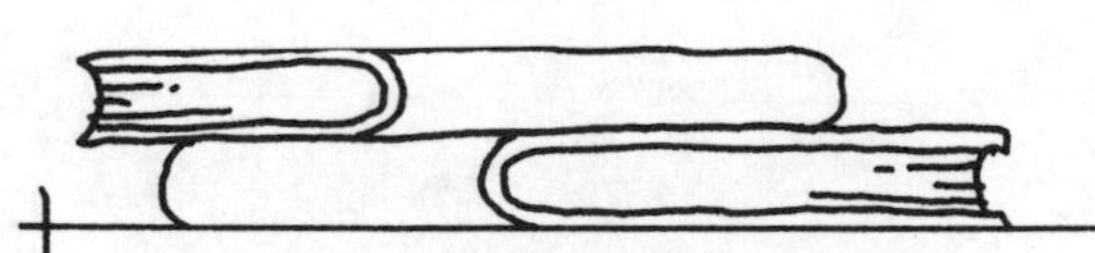

POURQUOI ONT-ILS DE BONS RÉSULTATS À L'ÉCOLE?

- La luciole?
  Elle brille d'intelligence.

- Le canard?
  Il sait fouiller les recoins de sa mémoire.

- Le monstre à deux têtes?
  Deux avis valent mieux qu'un.

- L'éléphant?
  Il a beaucoup de matière grise.

- Le ballon de baudruche?
  Il atteint le sommet de la classe.

LE PROFESSEUR: Georges, trouve l'Amérique du Nord sur la carte.
GEORGES: La voilà!
LE PROFESSEUR: Bien. Pour les autres maintenant: qui a découvert l'Amérique?
LA CLASSE: Georges!

*

ALEX: Monsieur, puis-je vous laisser?
LE PROFESSEUR: Bien sûr, tu ne peux pas m'emporter avec toi.

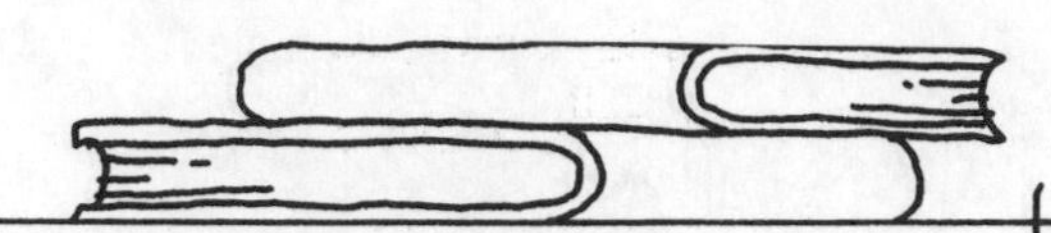

POURQUOI ONT-ILS ÉTÉ RENVOYÉS?

- Le singe
  Il imitait tout le monde.

- Le squelette
  Il n'y mettait pas du cœur.

- La pie
  Elle volait.

Où les monstres étudient-ils?
À l'école normale.

*

LE PROFESSEUR: Willy, cite une chose importante que nous avons aujourd'hui mais que nous n'avions pas il y a dix ans.

WILLY: Moi!

PREMIER JOUR D'ÉCOLE

Sylvie rentre à la maison après son premier jour d'école.

"C'était chouette," dit-elle à sa maman, "sauf qu'il y avait une dame appelée institutrice qui n'arrêtait pas de nous gâcher notre plaisir."

✻

Raphaël rentre à la maison après son premier jour d'école.

"Je n'irai plus," dit-il.
"Et pourquoi?" lui demande son père.
"Parce que mon institutrice ne sait rien," dit Raphaël. "Elle ne fait que poser des questions!"

✻

Joachim rentre à la maison après son premier jour d'école.

"Il n'y a rien eu d'important, dit-il à sa maman. Une dame ne savait pas comment épeler chat. *Je le lui ai dit."*

SUZY: Aujourd'hui, j'ai gagné un prix à l'école maternelle. Madame a demandé combien de pattes avait un hippopotame. J'ai dit trois.
LE PÈRE: Trois ? Comment as-tu fait pour gagner le prix?
SUZY: C'est moi qui étais le plus près de la solution.

LE DIRECTEUR: Que deviendras-tu lorsque tu auras fini l'école?

HERVÉ: Un vieil homme.

*

LE PROFESSEUR: Mon dieu, Mathilde, tu n'as pas encore fini de laver le tableau? Tu es occupée depuis une heure.

MATHILDE: Je sais mais plus je le lave, plus il est noir.

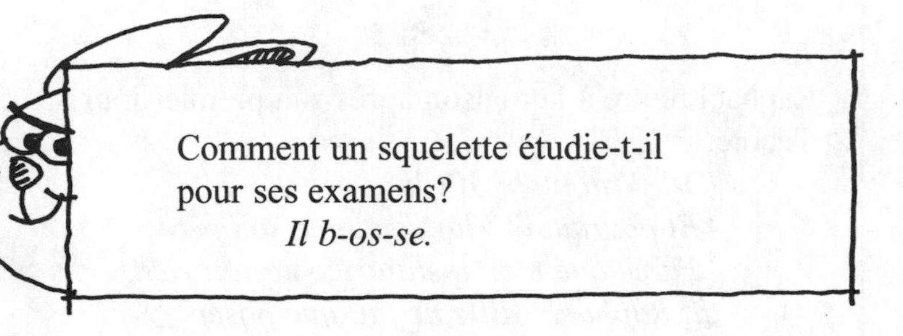

Les larmes aux yeux, un petit garçon raconte à son institutrice qu'il ne reste qu'une seule paire de bottes dans la classe et que ce n'est pas la sienne.
L'institutrice cherche partout mais ne trouve pas d'autres bottes.

> *"Es-tu sûr que ces bottes ne sont pas les tiennes?" demande-t-elle.*
> *"Oui, sanglote le petit garçon. Les miennes étaient couvertes de neige."*

*

LE PROFESSEUR: Pourquoi les feux de circulation deviennent-ils rouges?

ZAZIE: Vous le seriez aussi si vous deviez rester debout au beau milieu de la rue.

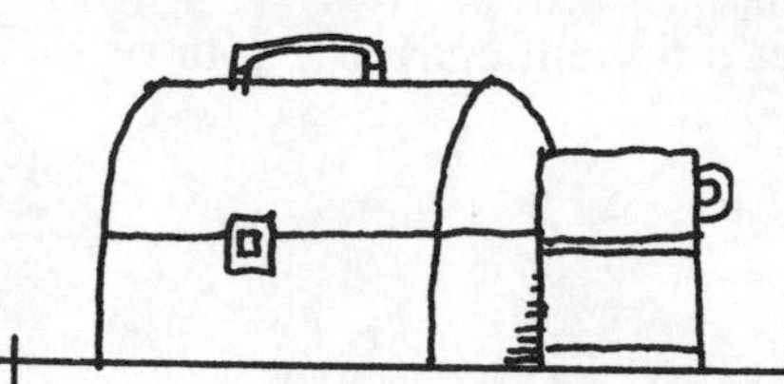

QU'AS-TU APPRIS À L'ÉCOLE AUJOURD'HUI?

LA MÈRE: Qu'as-tu appris à l'école aujourd'hui?
AUDREY: Pas grand-chose. Je dois y retourner demain.

*

LA MÈRE: Qu'as-tu appris à l'école aujourd'hui?
GAËLLE: À parler sans bouger les lèvres.

*

LE PÈRE: Qu'as-tu appris à l'école aujourd'hui?
LOÏC: Mon instituteur nous a appris à écrire.
LE PÈRE: Et qu'as-tu écrit?
LOÏC: Je ne sais pas. Il ne nous a pas encore appris à lire.

C'était le premier jour d'école. Alors que le directeur faisait sa ronde, il entendit un terrible vacarme dans une des classes.
Il s'y précipita et repéra un garçon, plus grand que les autres, qui semblait faire beaucoup de bruit. Il attrapa le garçon, le traîna dans le couloir et lui dit d'attendre là jusqu'à ce qu'il se soit excusé.
Revenant dans la classe, le directeur rétablit l'ordre et donna cours pendant une demi-heure sur l'importance de se comporter correct.

"Y a-t-il des questions?" demanda-t-il ensuite.
Une fille se leva timidement et demanda:
"Oui. Voudriez-vous bien nous rendre notre instituteur, s'il vous plaît?"

Qu'est-ce qui est grand et bleu et qui vient égayer le jour de la fête des Mères?

Le bus scolaire.

Où trouve-t-on des vaches préhistoriques?

Dans un meu-sée.

Madame Durant conduit son fils Jonathan pour l'inscrire à l'école. Jonathan n'a que cinq ans alors que l'âge requis est de six ans.

"Je pense qu'il réussira à passer l'examen d'entrée," dit Madame Durant au directeur.

"Nous allons voir," répond le directeur. "Jonathan, dis-moi la première chose qui te vienne à l'esprit."

"Vous voulez des phrases logiquement reliées entre elles," demande Jonathan, "ou simplement des mots disparates?"

2. S'amuser en classe

"Ma petite sœur est très intelligente!
Elle n'est encore qu'à l'école maternelle
et elle sait déjà épeler son nom dans les deux sens."
"Vraiment? Et comment s'appelle-t-elle?"
"Anna."

*

LE PROFESSEUR: Alexis, comment peut-on faire autant de fautes stupides en un seul jour?
ALEXIS: Je me lève très tôt.

*

GRÂCE: À quelle heure te réveilles-tu le matin?
JEAN: Une heure et demie environ après être arrivé à l'école.

FANNY: Si on jouait à "l'école?"
DANNY: D'accord, mais on fait comme si j'étais absent.

Qu'est-ce qui est bleu, a des roues et est couché sur le dos?
Un bus scolaire mort.

Comment les abeilles vont-elles à l'école?
En buzzz scolaire.

Qu'arriverait-il si tu prenais le bus scolaire pour rentrer chez toi?
La police te forcerait à le rendre.

LE FILS: Je suis content que tu m'aies appelé Patrick, Papa.
LE PÈRE: Pourquoi?
LE FILS: Parce ce que c'est comme ça que les enfants de l'école m'appellent.

✻

LE PROFESSEUR: Frédéric, c’est bien toi le plus jeune membre de ta famille?
FRÉDÉRIC: Non, c'est mon chien.

UN DES ÉLÈVES DE MA CLASSE EST UNE VÉRITABLE PESTE.

MAIS À QUEL POINT?

C'est une telle peste qu'il donne mal à la tête aux aspirines.

✻

C’est une telle peste qu’il donne des boutons au professeur.

✻

C'est une telle peste qu'on a dû vacciner tout le monde.

✻

C'est une telle peste que les gens se battent pour ne pas l'avoir dans leur équipe.

LE PROFESSEUR: Je vais devenir fou si vous n'arrêtez pas de faire autant de bruit.

DAFFY: Trop tard. Nous avons arrêté il y a déjà une heure.

*

LE PROFESSEUR: N'avais-tu pas promis de bien te tenir?

L'ÉLÈVE: Oui, Monsieur.

LE PROFESSEUR: Et n'avais-je pas promis de te punir si tu ne le faisais pas?

L'ÉLÈVE: Si, Monsieur. Mais comme je n'ai pas respecté ma promesse, vous ne devez pas respecter la vôtre.

*

LE PROFESSEUR: Quelle est la définition de l'ignorance?

VALÉRIE: Je ne sais pas.

LE PROFESSEUR: Très bien!

*

LE PROFESSEUR: Conjuguez le verbe marcher au présent de l'indicatif.

L'ÉLÈVE: Je marche, tu marches, euh...

LE PROFESSEUR: Plus vite, plus vite!

L'ÉLÈVE: Je cours, tu cours, il court...

*

QUENTIN: Quel était mon nom en première année?

L'INSTITUTEUR: Quentin.

QUENTIN: Quel était mon nom en deuxième année?

L'INSTITUTEUR: Quentin.

QUENTIN: Toc Toc.

L'INSTITUTEUR: Qui est là?

QUENTIN: Quentin

L'INSTITUTEUR: Quentin qui?

QUENTIN: Ne me dites pas que vous m'avez déjà oublié!

LES DEVOIRS

HAROLD: Monsieur, me puniriez-vous pour quelque chose que je n'ai pas fait?

LE PROFESSEUR: Bien sûr que non.

HAROLD: Bien, parce que je n'ai pas fait mes devoirs.

*

LE PROFESSEUR: As-tu fait tes devoirs?

ARTHUR: Non, Monsieur.

LE PROFESSEUR: As-tu une excuse?

ARTHUR: Oui, c'est la faute de ma mère.

LE PROFESSEUR: Elle t'a empêché de les faire?

ARTHUR: Non, elle ne m'a pas assez poussé.

*

LE PROFESSEUR: Ce devoir ressemble à l'écriture de ton père.

DAVID: Évidemment, j'ai utilisé son stylo.

*

LE FILS: Papa, je suis fatigué de faire mes devoirs.

LE PÈRE: Fils, le travail n'a jamais tué personne.

LE FILS: Je sais, papa, mais je ne veux pas être le premier.

*

LE PROFESSEUR: Tom, comment fais-tu pour être toujours aussi sale?

TOM: Eh bien… Je suis beaucoup plus près du sol que vous.

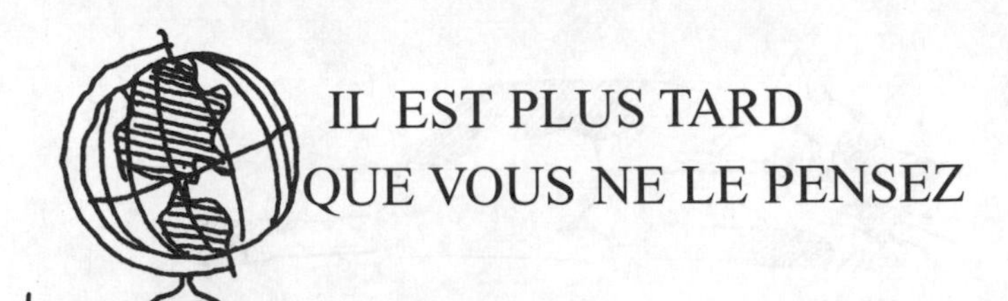

IL EST PLUS TARD QUE VOUS NE LE PENSEZ

LE PROFESSEUR: Pourquoi es-tu en retard?
CHRISTIAN: À cause du panneau.
LE PROFESSEUR: Quel panneau?
CHRISTIAN: Celui qui indique: "École, Ralentissez." C'est ce que j'ai fait.

*

LE PROFESSEUR: Tu es à nouveau en retard?
WENDY: Oui, Mademoiselle Dupond, mais n'avez-vous pas dit qu'il n'est jamais trop tard pour apprendre.

*

FLO: Comment as-tu trouvé l'école aujourd'hui?
JO: Oh, je suis sorti du bus et elle était là!

Harry revient de l'école très mécontent.

"Je n'y retourne pas demain," dit-il.

"Pourquoi pas, chéri?" demande sa maman.

"Je ne sais pas lire, je ne sais pas écrire et ils ne me laissent pas parler. Pourquoi donc y retourner?"

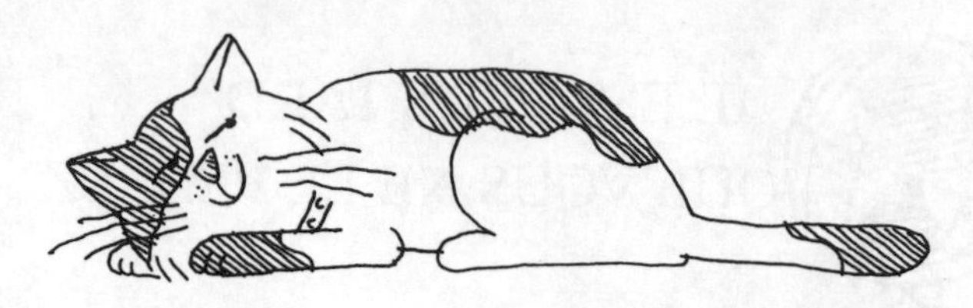

3. Interrogations

LA PRIÈRE DE L'INTERROGATION

Je me couche la tête sur les mains,
Et je prie pour réussir l'interrogation de demain.
Si je venais à mourir avant de me réveiller,
Ce serait une interrogation de moins à passer.

MARC: Bonne nouvelle! L'institutrice avait dit: "Qu'il pleuve ou qu'il vente, il y aura interrogation demain."
VINCENT: Et alors?
MARC: Il neige!

*

LE PROFESSEUR: J'espère que je ne t'ai pas vu regarder sur la feuille de Danny.
PIERRE: J'espère aussi.

*

LE PROFESSEUR: Patricia, tu as copié sur la feuille d'Éric, n'est-ce pas?
PATRICIA: Comment avez-vous deviné?
LE PROFESSEUR: La feuille d'Éric indique "Je ne sais pas" et la tienne "Moi non plus."

Qu'obtiendrait-on si on croisait un vampire avec un professeur?

Des tas d'examens sanguins.

LE PÈRE: Comment étaient les questions de l'examen?
LE FILS: Faciles.
LE PÈRE: Pourquoi as-tu l'air si malheureux alors?
LE FILS: Les questions ne m'ont pas posé de problème seulement les réponses.

*

GARY: Je ne pense pas mériter un zéro pour cette interrogation.
LE PROFESSEUR: Je suis d'accord mais je ne peux pas te mettre moins!

*

MAMAN: Pourquoi as-tu eu si peu de points à cette interrogation?
JUNIOR: À cause d'une absence.
MAMAN: Tu veux dire que tu étais absent le jour de l'interrogation?
JUNIOR: Non, mais mon voisin oui.

LE PROFESSEUR: Laura, pourquoi ris-tu?
LAURA: Je suis désolée. Je réfléchissais à autre chose.
LE PROFESSEUR: Une fois pour toute, Laura, n'oublie pas que pendant les heures de cours, tu n'es pas supposée réfléchir!

LE PÈRE: Comment ont été les examens?
LE FILS: J'ai presque 100 dans toutes les branches.
LE PÈRE: Qu'est-ce que cela signifie, presque 100?
LE FILS: Et bien… j'ai les zéros.

LE PÈRE: Il est écrit ici que tu es le dernier d'une classe de 20 élèves. C'est épouvantable.
JUNIOR: Cela aurait pu être pire.
LE PÈRE: Je ne vois pas comment.
JUNIOR: La classe aurait pu être plus grande.

*

LE PÈRE: Tu n'es premier en rien à l'école?
JUNIOR: Bien sûr que si, papa. Je suis le premier dehors quand la sonnerie retentit!

*

LE PROFESSEUR: Où les microbes se cachent-ils en hiver?
HERBERT: Examinez-moi.
LE PROFESSEUR: Non, merci. Je me demandais juste si tu savais.

LE PÈRE: Pourquoi tes cotes sont-elles si basses?
LE FILS: Parce que je suis assis au dernier rang.
LE PÈRE: Quelle est la différence?
LE FILS: Quand le professeur distribue les cotes, il n'en a plus assez de bonnes quand il arrive dans le fond.

MAMAN: Pourquoi tes cotes ont-elles baissé depuis les vacances?
BARBARA: Maman, tu sais bien que ce sont les soldes après Noël!

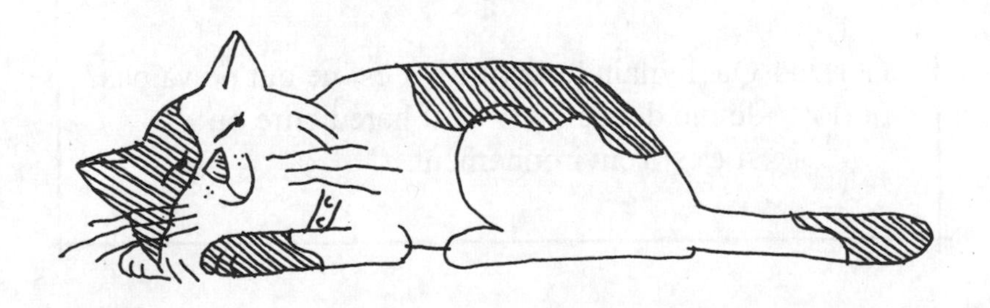

BULLETINS

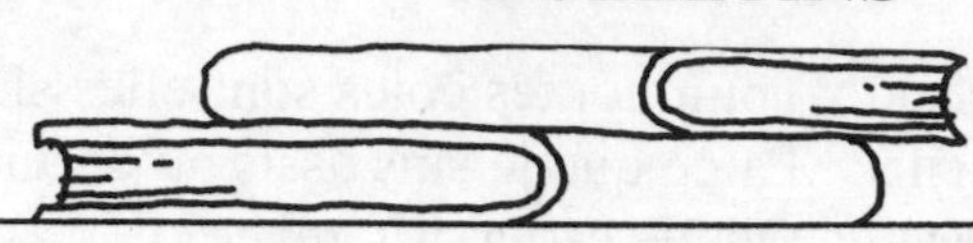

STEVE:
(après que le professeur eut distribué les bulletins)
Je ne veux pas vous effrayer, Monsieur, mais mon père a dit que, si je ne ramenais pas un bon bulletin, quelqu'un allait recevoir une fessée!

❄

LE PÈRE: Regarde toutes ces factures! Les impôts, le loyer,
le téléphone, les vêtements, la nourriture!
Tout augmente. J'aimerais un pue voir des choses
en baisse.

LE FILS: Voici mon bulletin, papa.

❄

LE PÈRE: Junior, que signifie ce “F” sur ton bulletin?

JUNIOR: Fantastique!

❄

SYLVIE: Papa, tu sais écrire dans le noir?

LE PÈRE: Je crois. Que veux-tu que j'écrive?

SYLVIE: Ton nom sur ce bulletin.

❄

LE PÈRE: Quel vilain bulletin! Qu’est-ce qui ne va pas?

HUGO: Je me demande si c'est héréditaire ou
si c'est l'environnement.

UN ÉLÈVE: J'aimerais vraiment être dans votre classe, Mademoiselle Dupond. Je suis désolé que vous ne soyez pas assez intelligente pour nous donner cours l'année prochaine.

*

LA BIBLIOTHÉCAIRE: Chut! Les gens autour de toi ne savent pas lire.

UN ÉLÈVE: Quelle honte! Moi, je sais lire depuis l'année dernière.

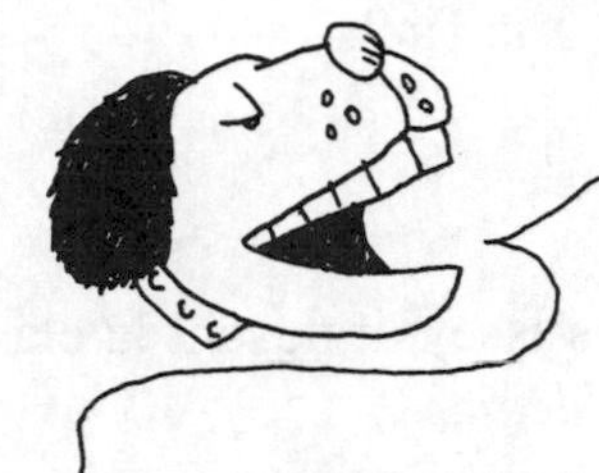

L'INSTITUTRICE: Jeune homme, êtes-vous le professeur de cette classe?

L'ÉLÈVE: Non, Madame.

L'INSTITUTRICE: Ne vous conduisez pas comme un imbécile alors!

*

ÉDOUARD: Est-ce que je peux apporter ma poule demain à l'école?

LE PROFESSEUR: Non, j'ai déjà assez entendu caqueter aujourd'hui.

4. Montre et décris

D'où viennent les œufs verts?
De poules écologistés.

*

LE PROFESSEUR: Emma, épelle "souris."
EMMA: S-O-U-R-I.
LE PROFESSEUR: Oui, et qu'y a-t-il à la fin?
EMMA: Une queue?

*

Que se passerait-il si un éléphant s'asseyait devant la classe?
On ne verrait jamais le tableau.

*

BEN: Où vas-tu avec cette mouffette?
ZOÉ: À l'école.
BEN: Que vas-tu faire pour l'odeur?
ZOÉ: Oh, elle s'y habituera.

*

LE PROFESSEUR: Claire, pourquoi regardes-tu au-dessus de tes lunettes et non pas à travers?
CLAIRE: Pour ne pas les user.

*

Mademoiselle Dupond montre des images
de différents oiseaux.
"Georges, dit-elle, quel est l'oiseau que tu préfères?"
Georges réfléchit quelques instants et répond:
"le poulet rôti."

"Maintenant, je vais vous montrer ce à quoi je pense," dit l'institutrice en effaçant le tableau.

❋

LE PROFESSEUR: Émilie, il y a des notes étranges sur la partition que tu m'as donnée.

ÉMILIE: Sur le bulletin que vous m'avez remis aussi!

❋

LE FILS: Papa, je sais comment tu peux épargner de l'argent.

LE PÈRE: C'est bien, mon fils. Comment?

LE FILS: Tu te souviens que tu m'avais promis 200 francs si je réussissais mes examens?

LE PÈRE: Oui.

LE FILS: Eh bien, tu ne dois pas me les donner.

❋

LE FILS: Bonne nouvelle, papa!

LE PÈRE: Que veux-tu dire?

LE FILS: Tu ne devras pas m'acheter de nouveaux livres l'année prochaine. Je vais refaire tous les travaux de cette année.

"Certains élèves sont mauvais mais tu es une exception."
"Vraiment?"
"Oui, tu es exceptionnellement mauvais."

LE PROFESSEUR: Il y a au moins une chose que je peux vous dire sur votre fils.

LE PÈRE: Laquelle?

LE PROFESSEUR: Avec des points comme ceux-ci, vous pouvez être sûr qu'il n'a pas triché.

LE PROFESSEUR: Où dorment les poissons?
KÉVIN: Sur le lit de la rivière.

*

LE PROFESSEUR: Où se lavent les poissons?
JULIEN: Dans des bassins fluviaux.

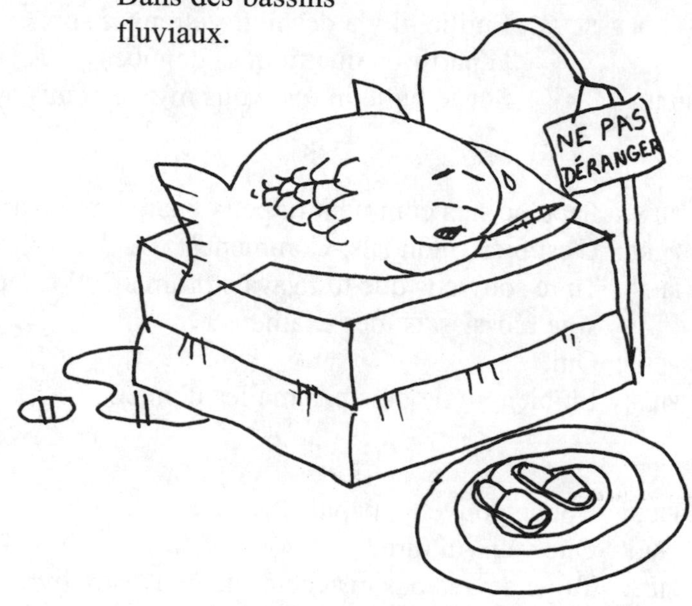

LE PROFESSEUR D'ANGLAIS: Dans cette boîte, j'ai un serpent de 10 pieds.
SAMMY: Vous ne m'aurez pas, Monsieur. Les serpents n'ont pas de pied!

*

LE PROFESSEUR D'HYGIÈNE: Comment éviter les maladies provoquées par des morsures d'insectes?
JOSÉ: En n'en mordant pas.

*

LE PROFESSEUR: Johnny, pourquoi as-tu frappé Bobby dans le ventre?
JOHNNY: C'est de sa faute, Monsieur. Il s'est retourné.

UN DES ENFANTS DE MON ÉCOLE EST VRAIMENT VACHE.

MAIS À QUEL POINT?

Il est tellement vache qu'il fait tourner le professeur en bourrique.

*

Il est tellement vache que ses parents en deviennent chèvres.

*

Il est tellement vache que quand il va à l'école, le professeur prend la clé des champs.

*

Il est tellement vache qu'il lui pousse des cornes.

*

Il est tellement vache qu'on a préparé un gâteau en son honneur: le vacherin!

5. Lecture et dictée dans la joie

LE PROFESSEUR: Qu'es-tu en train d'écrire, Thomas?
THOMAS: Une lettre à moi-même.
LE PROFESSEUR: À quel sujet?
THOMAS: Je ne sais pas. Je ne la recevrai que demain.

*

LE PROFESSEUR: Où est ton crayon, Arthur?
ARTHUR: J'en ai pas.
LE PROFESSEUR: Combien de fois t'ai-je déjà dit de ne pas dire cela, Arthur? Je n'ai pas de crayon. Vous n'avez pas de crayon. Ils n'ont pas de crayon. Tu comprends?
ARTHUR: Pas vraiment. Qu'est-ce qui est arrivé à tous ces crayons?

CANDIDATS POUR LE MOT LE PLUS LONG DE LA LANGUE FRANÇAISE

Infini
Car il n'a pas de fin.
Caoutchouc
Parce qu'il s'étend.
Bureau de poste
Parce qu'il a le plus de lettres.
Équateur
Parce qu'il fait le tour du globe.

COMPOSITIONS DINGOS

LE PROFESSEUR: Dorothée, sur quoi as-tu écrit ta rédaction?

DOROTHÉE: Sur du papier.

✻

Sammy a fait une rédaction sur l'annuaire des téléphones. *Il a écrit: "Ce livre n'a pas vraiment d'intrigue, mais, quelle distribution!"*

✻

Mademoiselle Blanche demande aux élèves de la classe d'écrire une rédaction sur ce qu'ils feraient s'ils avaient 100 millions de francs.
Tout le monde commence à écrire sauf Fanny.
Fanny se tourne les pouces et regarde par la fenêtre.
Quand Mademoiselle Blanche reprend les copies, la feuille de Fanny est blanche.
"Fanny, demande Mademoiselle Blanche, tout le monde a écrit deux pages ou plus et toi, tu n'as rien fait. Je peux savoir pourquoi?"
"Si j'avais 100 millions de francs, répond Fanny, je ne ferais plus rien."

✻

LE PROFESSEUR: Édouard, tes idées sont de vrais diamants.

EDOUARD: Vous voulez dire qu'elles sont précieuses?

LE PROFESSEUR: Non, je veux dire qu'elles sont tellement rares.

D'AUTRES COMPOSITIONS DINGOS

LE PROFESSEUR: Patricia, l'histoire que tu m'as rendue, intitulée "Notre chien," est exactement la même que celle de ton frère.
PATRICIA: Bien sûr. Nous avons le même chien.

❋

LE PROFESSEUR: Howard, ton poème est le plus mauvais de la classe. Non seulement, il est agrammatical mais, en plus, il est grossier. Je vais en parler à ton père.
HOWARD: Je ne pense pas que ce soit une bonne idée, Monsieur. C'est lui qui l'a écrit.

❋

LE PROFESSEUR: Que signifie "coïncidence?"
THÉRÈSE: C'est marrant, j'allais justement vous le demander.

❋

LE PROFESSEUR: Définis "procrastination."
PATRICIA: Je peux vous répondre demain?

❋

LE PROFESSEUR: C'est bien que tu aies tes nouvelles lunettes, William. Tu vas pouvoir tout lire à présent.
WILLIAM: Vous voulez dire que je ne dois plus venir à l'école?

❋

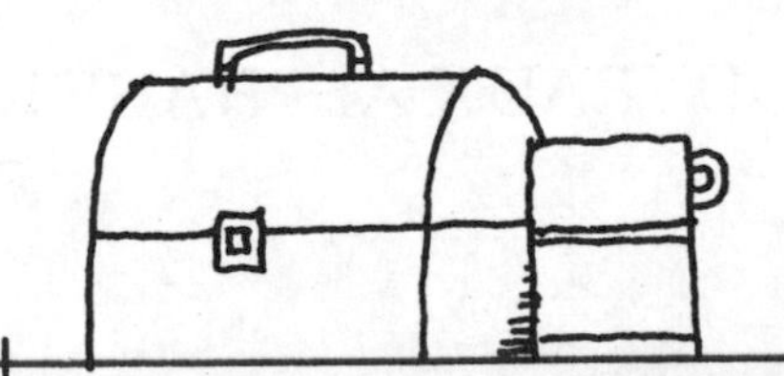

DUR, DUR L'ORTHOGRAPHE

LE PROFESSEUR: Ton orthographe est meilleure, Ronald. Cinq fautes seulement cette fois.
RONALD: Merci, Mademoiselle Béatrice.
LE PROFESSEUR: Passons au mot suivant maintenant.

*

LE PROFESSEUR: Marc, comment épelles-tu Mississippi?
MARC: Le fleuve ou l'1État ?

*

LE PROFESSEUR: Carlos, comment épelles-tu "imbécile?"
CARLOS: I-N-B-A-I-S-I-L.
LE PROFESSEUR: Le dictionnaire écrit "I-M-B-É-C-I-L-E."
CARLOS: Oui, monsieur, mais vous avez demandé comment *moi je* l'épelais.

PHRASES EN FOLIE

Le professeur demande de faire des phrases avec le mot "hêtre."
"Nos meubles sont en hêtre," dit une fille.
"Mon père a planté un hêtre dans le jardin," répond un garçon.
Un troisième dit: "Nous sommes tous des hêtres humains."

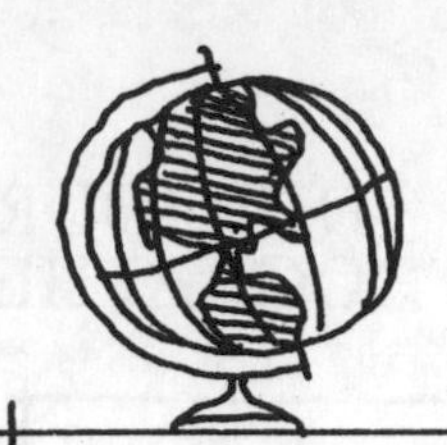

LES NOUVEAUX ALPHABETS

LE PROFESSEUR:	Alvin, combien y a-t-il de lettres dans l'alphabet?
ALVIN:	18.
LE PROFESSEUR:	Faux, il y en a 26.
ALVIN:	Non. Il y en avait 26, mais E.T. est rentré chez lui en OVNI et la CIA l'a suivi.

*

LE PROFESSEUR:	Max, combien y a-t-il de lettres dans l'alphabet?
MAX:	9.
LE PROFESSEUR:	9!
MAX:	L'-A-L-P-H-A-B-E-T = 9!

GRAMMAIRE MASSACRÉE

NATHALIE:	Il et moi avons aidé à nettoyer le jardin.
LE PROFESSEUR:	Nathalie, tu veux dire « Lui et moi » avons aidé?
NATHALIE:	Non, Monsieur Grégoire, vous n'étiez même pas là.

ENCORE DE LA GRAMMAIRE MASSACRÉE

LE PROFESSEUR: Ralph, décris un synonyme.
RALPH: C'est un mot qu'on utilise quand on ne sait pas en épeler un autre.

*

LE PROFESSEUR: Antoine, cite-moi deux pronoms.
ANTOINE: Qui, moi?
LE PROFESSEUR: Très bien!

*

LE PROFESSEUR: Maxime, donne-moi un exemple d'une double négation.
MAXIME: Je n'en connais aucun.
LE PROFESSEUR: Excellent!

*

BART: J'irai pas.
LE PROFESSEUR: Ce n'est pas correct.
Écoute : Je n'irai pas. Nous n'irons pas.
Vous n'irez pas. Ils n'iront pas.
Tu comprends?
BART: Bien sûr. Personne ira.

*

MLLE JONES (à la classe): Est-ce que quelqu'un peut me dire l'impératif du verbe "aller?"
(Pas de réponse)
MLLE JONES: Allez!
LA CLASSE: Merci, Mademoiselle Jones! A demain!

À LA BIBLIOTHÈQUE

"Taisez-vous," dit la bibliothécaire à des enfants bruyants.
"Les gens autour de vous ne savent pas lire."
"Vraiment?" demande une petite fille.
"Pourquoi sont-ils là alors?"

TIP: Tu as entendu l'explosion dans la bibliothèque?
TAP: Non, qu'est-ce qui s'est passé?
TIP: Quelqu'un a trouvé la "dynamite" dans le dictionnaire.

LA BIBLIOTHÉCAIRE: Voulez-vous bien arrêter de vous passer des mots!
L'ÉLÈVE: Nous ne passons pas des mots. Nous jouons aux cartes.

❋

Pourquoi les nobles aiment-ils les livres?
Parce qu'ils ont des titres.

Quel est le meilleur endroit pour trouver des livres sur les arbres?
Dans une librairie branchée.

6. Cette réunion est-elle nécessaire?

Le directeur était gêné par le bruit lors d'une réunion.

"Apparemment, l'amphithéâtre regorge de petits malins aujourd'hui, dit-il soudain.
Ne serait-il pas mieux de les entendre un à la fois?"
Quelqu'un répondit: "OK, vous d'abord."

Celui qui a dit: "Toute chose a une fin"
n'a jamais entendu mon directeur parler.

Mon directeur est tellement ennuyeux que, lorsqu'il fait un discours, même vos pieds s'endorment.

Je pensais que l'eau était fade jusqu'à ce que j'entende mon directeur parler.

"Les hommes intelligents hésitent," déclare le directeur.
"Seuls les idiots sont sûrs d'eux."
"C'est vrai?"
"J'en suis sûr."

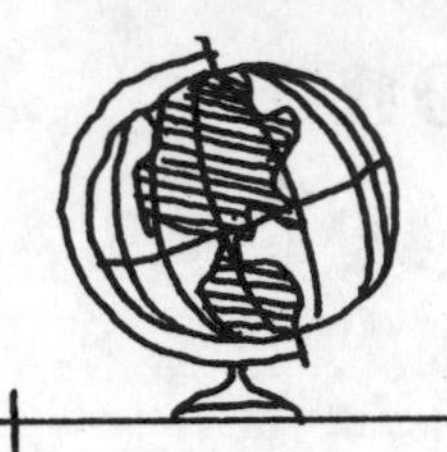

BONNES VACANCES

Combien de mois comptent 28 jours?
Tous.

✻

TIM: Qu'y a-t-il avant avril?
TOM: Un poisson!

✻

NIC: Qu'y a-t-il en décembre qu'il n'y a pas les autres mois?
VIC: La lettre "d!"

✻

LE PROFESSEUR: Pourquoi les cloches sonnent-elles à Noël?
PIERRE: Parce que quelqu'un tire sur la corde.

✻

LE PROFESSEUR: Pourquoi dresse-t-on un sapin à Noël?
JEAN: Il prendrait trop de place s'il était couché.

✻

LE PROFESSEUR: Quelle est la nationalité du père Noël?
DENIS: Nord-polonais

Peu avant Noël, une institutrice maternelle demande à ses élèves pourquoi ils allaient remercier le petit Jésus.

"Je vais le remercier," dit une fillette,
"de ne pas être une dinde."

*

NIC: Tu veux entendre l'histoire du crayon cassé?
NAC: Non, merci. Je suis sûre qu'elle ne paie pas de mine.

*

ALEXIS: Ton instituteur est sévère?
TIM: Je ne sais pas. J'ai trop peur pour demander.

*

"Comment as-tu trouvé le ventriloque?" demande l'institutrice à l'un de ses élèves après le spectacle.

"Il n'était pas terrible," répond l'élève,
"mais le petit gars sur ses genoux était génial."

LE PROFESSEUR: Doris, que vas-tu faire pour le concours de talents de l'école?
DORIS: Des imitations.
LE PROFESSEUR: Montre-nous.
DORIS: “Je t'aime – aïe ! Je t'aime – aïe!”
LE PROFESSEUR: Je donne ma langue au chat. Qu'imites-tu?
DORIS: Deux hérissons qui s'embrassent.

❋

LE PROFESSEUR: Et toi Boris?
BORIS: Des imitations d'oiseaux.
LE PROFESSEUR: Vas-tu gazouiller?
BORIS: Non, je vais manger des vers de terre.

❋

DOLORÈS (après avoir chanté faux): Comment avez-vous trouvé mon interprétation?
LE PROFESSEUR DE MUSIQUE: Horri...ginale.

❋

(L'amphithéâtre de l'école lors d'un spectacle de la chorale):
“C’est une chanson populaire?”
“Oui, jusqu'à aujourd'hui.”

“Cet air m'a trotté dans la tête toute la journée.”
“Bien sûr, il n'y a rien pour l'arrêter.”

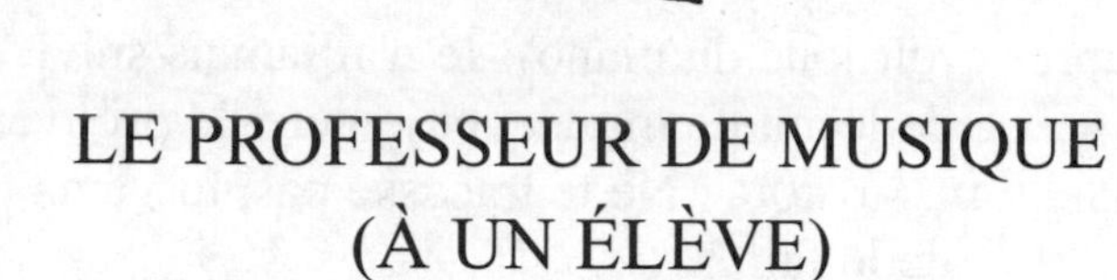

LE PROFESSEUR DE MUSIQUE (À UN ÉLÈVE)

Tu as une voix délicate.
Ne l'abîme pas en chantant.

*

J'ai aimé la chanson que tu as chantée.
Un jour, tu devrais en faire une mélodie.

*

Tu chantes comme un oiseau:
une chouette effraie!

*

Tu ne pourrais pas suivre un air même
avec une laisse.

J'ai entendu des meilleurs sons d'un ballon troué.
Chaque fois que je déchire un chiffon, je pense à ta voix.

Pourquoi Georges a-t-il apporté une échelle pour la réunion?
Le professeur de musique lui a demandé de chanter plus haut.

*

L'ÉLÈVE (après avoir joué du piano): Je n'ai jamais suivi de leçon de ma vie, et je peux le prouver.

LE PROFESSEUR DE MUSIQUE: Ne te tracasse pas, tu viens de le faire.

*

LE PROFESSEUR DE MUSIQUE: Pourquoi as-tu pris cette batte de base-ball pour jouer du piano ?

L'ÉLÈVE: Pour mieux battre le rythme!

LA CLASSE A RI QUAND JE ME SUIS ASSIS AU PIANO:
il n'y avait pas de tabouret.

*

La classe a ri quand je me suis assis au piano avec les mains attachées derrière le dos. Ils ne savent pas que je joue à l'oreille.

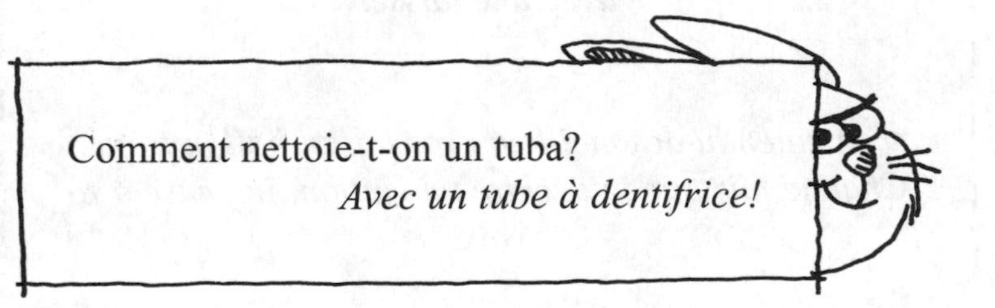

"Regarde l'élégance cette fille quand elle mange son épi de maïs," dit Madame Dupond à son fils Florian. "Bien sûr," répond-il, "elle joue de la flûte dans l'orchestre de l'école."

7. Allons déjeuner

Quelle est la chose la plus terrible que l'on trouve au réfectoire de l'école?
La nourriture.

*

La nourriture de l'école est parfaite…
si tu as la chance d'etre un cafard.

*

La nourriture de l'école est tellement mauvaise qu'on reçoit une ordonnance après chaque repas.

*

La nourriture de l'école est tellement mauvaise que les mouches l'ont choisie pour se suicider.

*

LE PETIT MONSTRE: Maman, le professeur n'est pas à mon goût.
LA MÈRE DU PETIT MONSTRE: Mange juste ta salade alors.

*

MAMAN: Mais pourquoi donc as-tu avalé l'argent que je t'ai donné?
JUNIOR: Tu as dit que c'était pour mon déjeuner

Sur quoi les astronautes déposent-ils leur tasse de café?
Sur des soucoupes volantes.

"La nourriture de l'école est très épicée?"
"Non, la fumée qui sort de mes oreilles est tout à fait normale."

Pourquoi ce chien hurle-t-il?
Il a une faim de loup.

Où les professeurs de math vont-ils manger?
Au comptoir.

LE PETIT GARÇON (en ouvrant sa boîte à tartines):
Encore ! C'est tous les jours
la même chose:
des tartines au fromage.
J'en ai ras-le-bol.

LE PROFESSEUR: Pourquoi ne demandes-tu pas à ta
maman de te donner autre chose?

LE PETIT GARÇON: Je ne peux pas.

LE PROFESSEUR: Pourquoi pas?

LE PETIT GARÇON: C'est moi qui prépare les tartines.

*

LE PROFESSEUR: Que mange un gorille de 400 kilos?

L'ÉLÈVE: Tout ce qu'il veut.

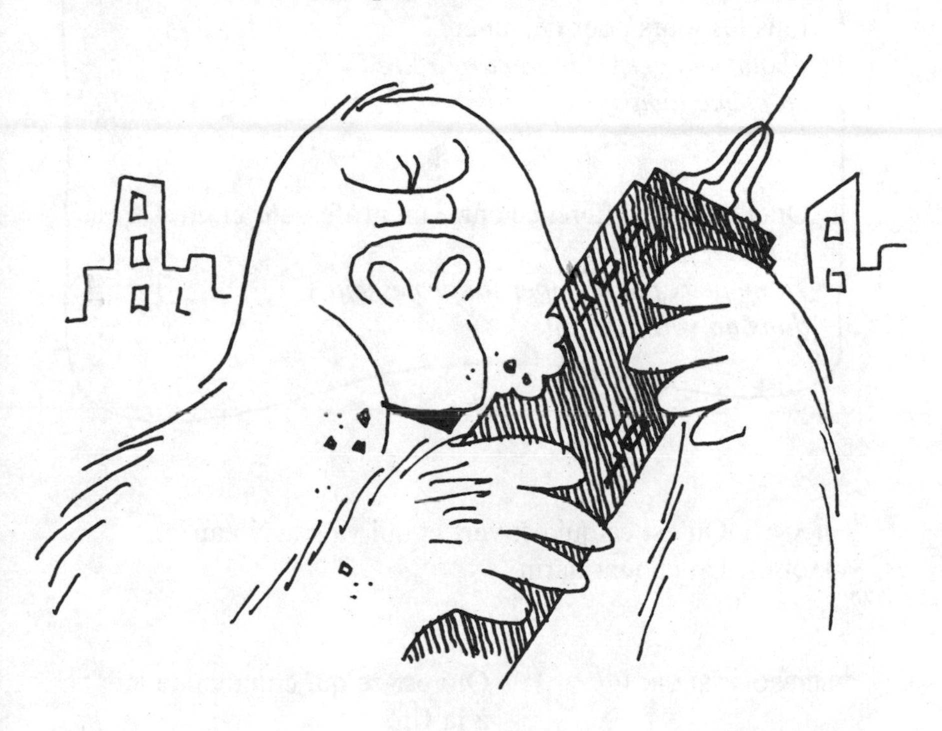

La cantine de mon école est un endroit où on sert de la soupe aux fous.

“Pourquoi bois-tu de la soupe avec des lettres tous les jours pour déjeuner?”
«Pour manger et apprendre à lire en même temps. »

*

Quelle est la différence entre un professeur et un beignet?
Tu ne peux pas tremper un professeur dans un verre de lait.

JEAN: Qu’est ce qui est vert et qui va sous l’eau?
JAQUES: Un choux-marin

*

LE PROFESSEUR: Qui est-ce qui commande ici à la fin?
LE COMIQUE DE LA CLASSE: Moi. Ce sera un hamburger avec des frites!

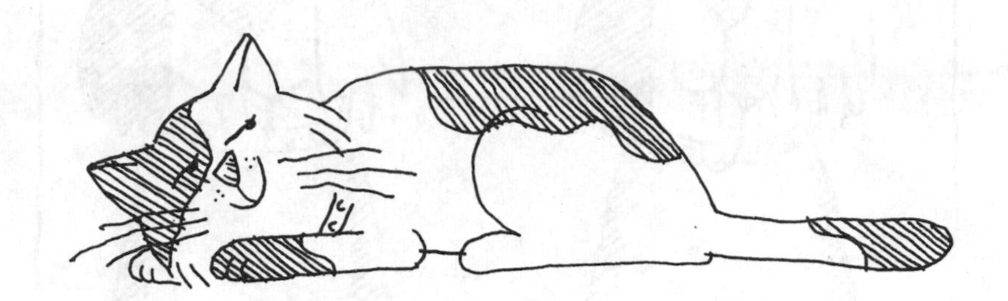

LE PROFESSEUR: Une personne anonyme est une personne qui ne désire pas être connue.
UN ÉLÈVE: Quelle définition idiote!
LE PROFESSEUR: Qui a dit cela?
L'ÉLÈVE: Une personne anonyme.

❋

LE PROFESSEUR: On dit que le poisson est excellent pour la mémoire.
CÉDRIC: C'est vrai. J'en mange tout le temps.
LE PROFESSEUR: Comme je vois, il ne faut pas croire tout ce que'on dit.

❋

PIF: Il y a une mouche dans cette crème glacée.
PAF: Ce n'est rien. Sers-la bien gelée!

❋

PIC: C'est du gâteau à la pêche ou à la pomme?
POC: Si tu ne le goûtes pas, quelle différence ça fait?

❋

JEAN: La croûte du gâteau aux pommes était dure.
BART: Ce n'était pas la croûte. C'était l'assiette en papier.

Si je coupe une pomme en deux, qu'est-ce que j'obtiens?

Deux morceaux.

Si je coupe une poire en quatre, qu'est-ce que j'obtiens?

Quatre morceaux.

Si je coupe une banane en huit, qu'est-ce que j'obtiens?

Huit morceaux.

Maintenant, si je rassemble tous les morceaux, qu'est-ce que j'obtiens?

Une salade de fruits!

PHILIPPE:	Un poulet de deux semaines est-il assez gros pour être mangé?
LE PROFESSEUR:	Bien sûr que non!
PHILIPPE:	Comment fait-il pour vivre alors?

UNE DES FILLES DE MON ÉCOLE EST LENTE COMME UN ESCARGOT.

MAIS À QUEL POINT?

Elle est tellement lente que le professeur a fini sa leçon avant qu'elle ait pu atteindre la classe.

Elle est tellement lente que ses cheveux ont le temps de pousser pendant qu'elle réfléchit.

8. Que le monde est drôle

"Il est évident," dit le professeur de géographie, "que tu n'as pas étudié ta matière. Quelle est ton excuse?"

"Eh bien, mon père dit que le monde est en constant changement. J'ai donc décidé d'attendre un peu que ça se calme."

✻

LE PROFESSEUR: José, que peux-tu nous dire sur la mer Morte?

JOSÉ: Je ne savais pas qu'elle était malade!

✻

LE PROFESSEUR: Quelles sont les petites rivières qui se jettent dans le Nil?

GRÂCE: Les Juvé-nils!

✻

LE PROFESSEUR : Où se situe la Manche?

ALEX: Elle entoure mon bras.

✻

LE PROFESSEUR: Quels oiseaux trouve-t-on en Inde?

CHRISTOPHE: Les d-indes.

"Katia, connais-tu une fille qui s'appelle Louise?"
"Oui, maman. Elle dort à côté de moi en géographie."

GERTRUDE: Mon professeur était furieux parce que je ne me souvenais pas où étaient les Andes.
MAMAN: La prochaine fois, chérie, souviens-toi où tu ranges tes affaires.

Pourquoi la statue de la Liberté se dresse-t-elle dans le port de New York?
Parce qu'elle ne peut pas s'asseoir.

LE PROFESSEUR: Cite un animal vivant en Laponie.
L'ÉLÈVE: Un renne.
LE PROFESSEUR: Bien. Maintenant, cites-en un autre.
L'ÉLÈVE: Un autre renne.

LE PROFESSEUR: Rachel, peux-tu nous dire où on peut trouver des éléphants?
RACHEL: Pas besoin de les trouver. Ils sont tellement grands qu'on ne risque pas de les perdre.

*

LE PROFESSEUR: Robert, quel genre de fourrure a un léopard?
ROBERT: Une fourrure en léopard.

*

ERNEST: Je n'ai que 35 en math et 50 en orthographe mais je les ai tous épatés en géographie.
ERNESTINE: Combien as-tu eu?
ERNES : Zéro.

*

LE PROFESSEUR: Citez trois pôles connus.
LE PETIT COMIQUE: Le pôle Nord, le pôle Sud et *Interpol*.

*

Que fait-on avec de l'huile brute?

On lui apprend les bonnes manières.

*

LE PROFESSEUR: Danny, donne-moi trois bonnes raisons pour affirmer que la terre est ronde.
DANNY: Parce que maman le dit, mon père le dit et vous le dites.

Où les grenouilles aiment-elles s'asseoir?

Sur des fauteuils crapauds.

*

Quel est le fruit préféré des grenouilles?

La rainette.

*

Comment obtient-on les noisettes d'un écureuil?

On va vers l'écureuil et on dit: "c'est un hold-up!"

*

LE PROFESSEUR: Qu'est-ce qu'une île?
ANNICK: Une île est un morceau de terre entouré d'eau à l'exception d'un endroit.
LE PROFESSEUR: Lequel?
ANNICK: Le sommet.

*

Le professeur de Mathieu a toujours récompensé les beaux travaux en collant une étoile dorée au-dessus du devoir de ses élèves.
Un jour, Mathieu rentre à la maison avec un grand zéro sur sa feuille.

"Mathieu, qu'est-ce que cela signifie," lui demande sa maman.
"Oh," explique Mathieu, "mon professeur n'avait plus d'étoiles, il m'a donné une lune."

9. Math-amore

FLIP: J'ai raté tout sauf algèbre.
FLOP: Comment as-tu fait?
FLIP: Je n'ai pas de cours d'algèbre.

✻

LE PROFESSEUR: Es-tu bon en math?
L'ÉLÈVE: Oui et non.
LE PROFESSEUR: Qu'est-ce que cela signifie?
L'ÉLÈVE: Oui, je ne suis pas bon en math.

✻

"Papa, tu veux bien m'aider à trouver le plus petit commun dénominateur de ce problème?"

"Ne me dis pas qu'ils ne l'ont pas encore trouvé!
Ils le cherchaient déjà quand j'étais un petit garçon!"

✻

LE PROFESSEUR: Lisa, ton père t'a-t-il aidé pour ces problèmes de math?
LISA: Non, je les ai ratés toute seule.

✻

"Monsieur, je ne sais pas faire ce problème."
"N'importe quel gamin de cinq ans y parviendrait."
"Pas étonnant que je n'y arrive pas!"
J'ai presque dix ans!"

COMPTER JUSQU'À 10

L'institutrice révisait le calcul avec sa classe de primaire.

"Pauline," demanda-t-elle, "peux-tu compter jusqu'à 10 sans faire d'erreur?"

"Oui, Madame," dit Pauline et elle le fit.

"Maintenant Philippe," demanda l'institutrice, "peux-tu compter de 10 à 20?"

"Cela dépend," répondit Philippe, "avec ou sans erreur?"

L'INSTITUTRICE: Sais-tu compter jusqu'à 10?

SUZANNE: Oui, Madame. (*Comptant sur ses doigts au niveau de la taille.*) Un, deux, trois, quatre, cinq, six, sept, huit, neuf, dix.

L'INSTITUTRICE: Bien. Peux-tu compter plus haut?

SUZANNE: Oui, Madame. *(Elle lève les mains au-dessus de la tête et compte sur ses doigts.)* Un, deux, trois, quatre, cinq, six, sept, huit, neuf, dix.

*

L'INSTITUTRICE: Sais-tu compter jusqu'à 10?

ÉRIC: Oui, Madame. Un, deux, trois, quatre, cinq, six, sept, huit, neuf, dix.

L'INSTITUTRICE: Continue.

ÉRIC: Valet, Dame, Roi.

LE PROFESSEUR: Que font deux et deux?
HUGO: Quatre.
LE PROFESSEUR: C'est bien.
HUGO: Bien ? Mais c'est parfait!

*

LE PROFESSEUR: Si un et un font deux, deux et deux font quatre, combien font quatre et quatre?
ANNIE: Ce n'est pas juste, Monsieur.
Vous répondez vous-même aux questions faciles et vous nous laissez les difficiles.

*

LE PROFESSEUR: Quelle est la moitié de 8?
CINDY: Verticalement ou horizontalement?
LE PROFESSEUR: Que veux-tu dire?
CINDY: Verticalement, ça fait 3 et horizontalement, 0.

*

LE PROFESSEUR: Maintenant, quelle que soit la question, je veux que vous répondiez immédiatement.
Fanny, combien font huit et huit?
FANNY: Immédiatement!

*

LE PROFESSEUR: Si tu recevais 1000 francs de 5 personnes, qu'aurais-tu?
SACHA: Une nouvelle bicyclette.

*

LE PROFESSEUR: Si je te donnais trois lapins aujourd'hui et cinq lapins demain, combien de lapins aurais-tu?
WENDY: Neuf.
LE PROFESSEUR: Désolé, Wendy, tu en aurais huit.
WENDY: Non, Monsieur, j'en aurais neuf.
J'ai déjà un lapin à la maison.

LE PROFESSEUR: Sébastien, soustrais 932 de 1439.
Quelle est la différence?

SÉBASTIEN: C'est ce que je me demande:
quelle est la différence?

*

Qui a inventé les fractions?
Henry le huitième.

Notre institutrice a une mauvaise mémoire.
Depuis trois jours, elle nous demande combien font deux et deux. Nous lui avons dit que cela faisait quatre.
Elle ne le sait toujours pas : aujourd'hui, elle nous l'a encore redemandé.

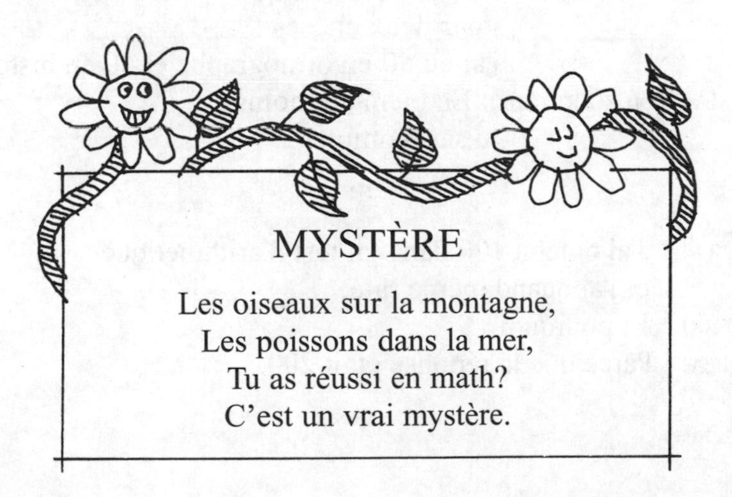

MYSTÈRE

Les oiseaux sur la montagne,
Les poissons dans la mer,
Tu as réussi en math?
C'est un vrai mystère.

HECTOR: J'ai additionné ces chiffres dix fois.
LE PROFESSEUR: Bon travail!
HECTOR: Et voici mes dix réponses.

*

TIP: Mon chien est génial en math.
TAP: Vraiment?
TIP: Demande-lui combien font deux moins deux.
TAP: Mais deux moins deux ne donnent rien!
TIP: C'est ce qu'il répond: rien!

*

LE PROFESSEUR: Si tu additionnes 3452 et 3096, divises le tout par 4 et multiplies par 6, qu'obtiens-tu?
LILY: Une mauvaise réponse.

*

LE PÈRE: Comment ça va en arithmétique?
JEAN: J'ai appris à additionner les zéros mais les nombres me posent toujours problème.

*

JASON: J'ai eu 100 à l'école aujourd'hui.
MAMAN: Magnifique. En quoi as-tu eu 100?
JASON: Pour deux choses :
j'ai eu 50 en orthographe et 50 en histoire.
MAMAN (en soupirant): Eh bien, au moins,
tu sais compter.

*

LAURA: J'ai obtenu 100 dans un test d'arithmétique et j'ai quand même raté.
LE PÈRE: Et pourquoi?
LAURA: Parce que la réponse était 200.

*

LE PROFESSEUR: Vincent, si tu avais 20 francs et que tu en demandais à ton père 20 autres, combien de francs aurais-tu?

VINCENT: 20 francs.

LE PROFESSEUR (désolé): Tu ne connais pas ton arithmétique.

VINCENT (désolé): Vous ne connaissez pas mon père.

*

Lucille attendait calmement pendant que son père examinait son bulletin.

"Que signifie ce 45 en math?" demanda le père.
"Je pense que c'est la taille de la classe," répondit-elle rapidement.

*

LE PÈRE: Si j'avais 5 noix de coco et que je t'en donnais 3, combien m'en resterait-il?

FRANK: Je ne sais pas.

LE PÈRE: Pourquoi cela?

FRANK: Dans notre école, nous calculons toujours avec des pommes et des oranges.

*

LE PROFESSEUR: Si j'avais sept oranges dans une main et huit dans l'autre, qu'est-ce que j'aurais?

LE COMIQUE DE LA CLASSE: De grandes mains!

*

L'instituteur a demandé à ses élèves de première de compter. Naomi a commencé en comptant de 1 à 10.

"Maintenant, Charles, dit l'instituteur, tu continues à partir de 11."
"11, 14, 23, 42, 26," dit Charles.
"Qu'est-ce que c'est que cette façon de compter?" demande l'instituteur.
"Qui parle de compter? répond Charles. Je passe des signaux."

10. Hi-hans historiques

MARIE: J'aurais voulu naître il y a 1000 ans.
MAMAN: Pourquoi, ma chérie?
MARIE: Pense seulement à toute l'histoire que je n'aurais pas à étudier.

Mon professeur me fait penser à l'histoire.
Elle se répète tout le temps.

De quoi parlent des profs d'histoire quand ils se rencontrent?
Du bon vieux temps.

Quelle était la profession de Noé?
Arch-itecte

Un instituteur emmène ses élèves de première année au musée. Ils s'arrêtent devant une momie à côté de laquelle il est indiqué "1286 AV JC."

"Est-ce que quelqu'un connaît la signification de ces chiffres?" demande l'instituteur.
Un petit répond: "Ça doit être la plaque minéralogique de la voiture qui l'a renversé."

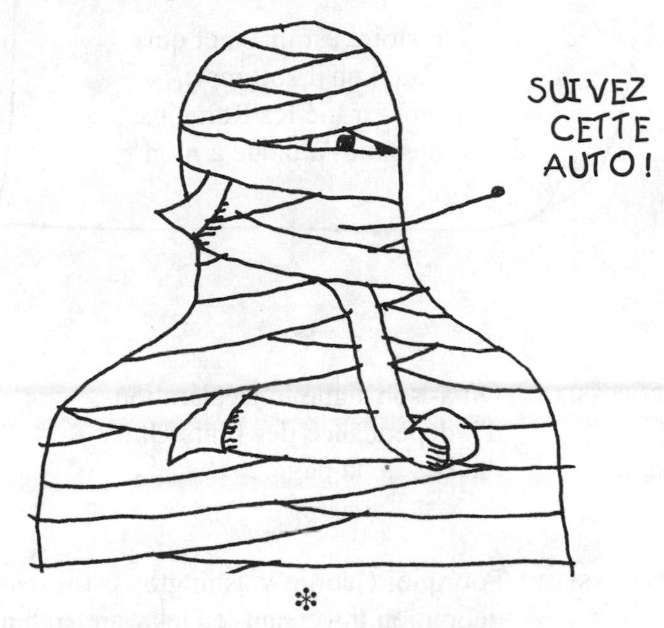

NIC: Tu veux entendre l'histoire du crayon cassé?
NAC: Non, merci. Je suis sûre qu'elle ne paie pas de mine.

Comment les hommes de Christophe Colomb dormaient-ils sur leurs bateaux?

Les yeux fermés.

❋

Qu'est devenu Napoléon après 41 ans?

Un homme de 42 ans.

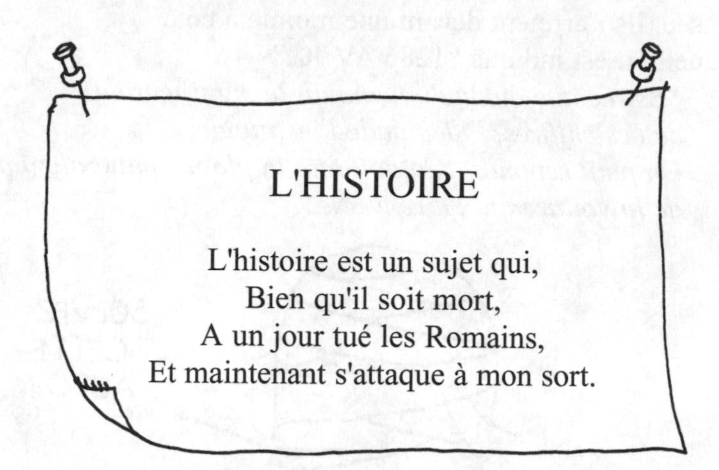

*

LE PROFESSEUR: Où a-t-on signé la Déclaration d'indépendance des États-Unis?

STANLEY: Au bas de la page.

*

LE PROFESSEUR: Pourquoi George Washington est-il resté debout en traversant le Delaware en bateau?

LE COMIQUE DE LA CLASSE: Il avait peur de recevoir un coup de rame s'il s'asseyait.

*

LE PROFESSEUR: Pourquoi George Washington a-t-il été enterré au mont Vernon?

PIERRE: Parce qu'il était mort.

*

LE PROFESSEUR: Carole, connais-tu le 20e président des États-Unis?

CAROLE: Non, nous n'avons jamais été présentés.

"Abraham Lincoln a eu une enfance difficile," explique l'un instituteur. "Il devait parcourir près de 10 kilomètres chaque jour pour aller à l'école."

"C'est de sa faute," répond Norman, "pourquoi ne prenait-il pas le bus comme tout le monde?"

UN MYSTÈRE

Il me demanda quand? Je n'aurais su le dire.

Il me demanda qui? C'était encore pire.

Il cita un homme, à mes yeux un étranger,

Je voyais le danger arriver.

Quel était ce mystère, ce déboire?

Oh, juste mon cours d'histoire.

LE PROFESSEUR: Pourquoi les pionniers ont-ils traversé le pays en chariot?

LE COMIQUE DE LA CLASSE: Parce qu'ils n'ont pas vouler attendre 40 ans pour prendre le train.

Evelyne rente très tôt de l'école.

MAMMAN: Comment se fait ik que tu rentres à la maison si tôt?

ÉVELINE: Parce que j'étais le seul capable de répondre à une question.

MAMMAN: Oh, vraiment? Et quelle était cette question?

ÉVELINE: "Qui a lancé la gomme sur la tête du directeur de l'école?"

*

La seule chose que les enfants usent plus vite que leurs chaussures, c'est la patience de leurs profs...

*

LE PÈRE: Ingrid, je vois sur ton bulletin que tu n'as pas de bons résultats en histoire. Tu peux me dire pourquoi?

INGRID: Parce que mon professeur me pose toujours des questions sur des événements qui se sont produits avant ma naissance.

LE PÈRE: Je vois que tu as à nouveau un échec en histoire, Junior.

JUNIOR: Oui, Papa. Tu m'as toujours dit "oublions le passé."

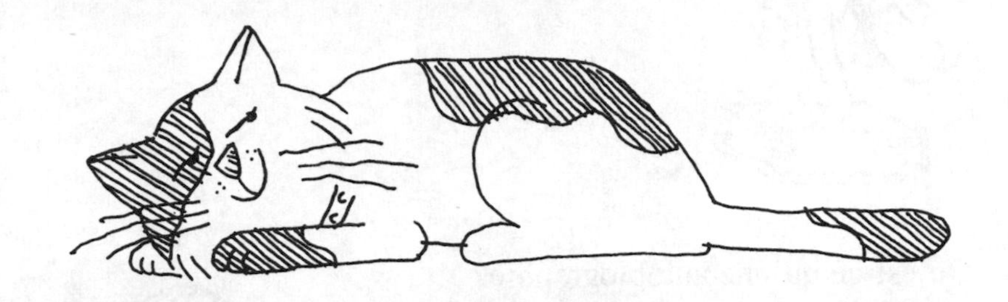

QUAND JE MOURRAI

Enterrez-moi profondément quand je mourrai.

Enterrez également mon livre d'histoire.

Dites à mon professeur que je repose en paix

Et que je ne serai pas de retour pour le test d'histoire.

11. Salle d'étude

Qu’est-ce qu’une autobiographie?
L’histoire de la vie d’une voiture.

10 RAISONS POUR LESQUELLES JE N'AI PAS MON DEVOIR

1. Ma sœur l'a mangé.

2. Je me suis fait agresser en venant à l'école et l'agresseur m'a tout volé.

3. Notre chiot a fait caca dessus.

4. Des créatures venues de l'espace l'ont emprunté pour voir comment fonctionnait l'esprit humain.

5. Je l'ai mis dans un coffre mais j'ai oublié la combinaison.

6. Je l'ai prêté à un ami mais il a soudainement déménagé.

7. Notre chaudière est tombée en panne et nous avons dû le brûler pour ne pas avai froid.

8. Je l'ai laissé dans ma chemise et ma mère l'a mise dans le lave-linge.

9. Je ne l'ai pas fait pour ne pas que vous ayez trop de travail.

10. Je l'ai perdu en me battant avec un élève qui disait que vous n'étiez pas le meilleur professeur de l'école.

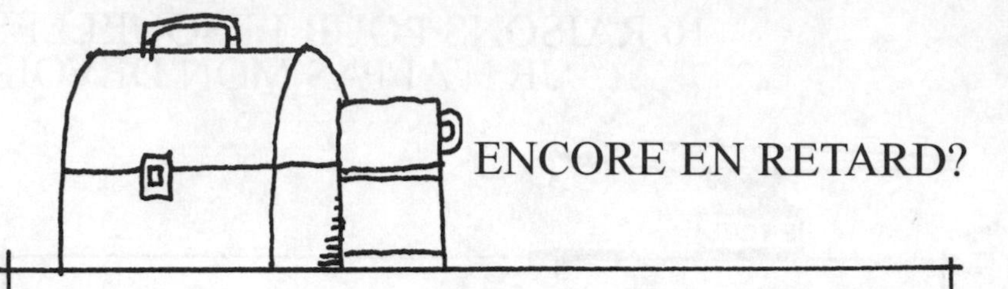

ENCORE EN RETARD?

LE PROFESSEUR: Pourquoi es-tu en retard?

MARISSA: Il a plu la nuit dernière. La route était tellement mouillée et glissante que, à chaque pas, je glissais deux pas en arrière.

LE PROFESSEUR: S'il pleut la nuit prochaine, commence à marcher dans la direction opposée.

*

LE PROFESSEUR: Pourquoi es-tu en retard?

AMOS: J'ai perdu 5 francs.

LE PROFESSEUR: Et toi Olivier, pourquoi es-tu aussi en retard?

OLIVIER: J'avais le pied dessus.

*

LE PROFESSEUR: Pourquoi es-tu en retard?

BARNEY: Je me suis tordu la cheville.

LE PROFESSEUR: Quel argument boiteux!

*

LE PROFESSEUR: Quelle est cette manie d'arriver à l'école deux heures en retard?

ÉRIC (couvert de bandages): Mais, Monsieur, j'ai été renversé.

LE PROFESSEUR: Se faire renverser ne prend tout de même pas deux heures!

LE PROFESSEUR: Florent, combien de temps dure une minute?
FLORENT: Quel genre de minute voulez-vous dire?
Une vraie minute ou “attends une minute?”

✻

FRANK: Jour après jour, le garçon et son chien allaient ensemble à l'école? Un jour, ils durent se séparer.
HANK: Qu'est-ce qui s'était passé?
FRANK: Le chien avait obtenu son diplôme.

✻

Mon chien est tellement mauvais
qu'il a été exclu de l'école de dressage.

✻

THÉO: Mon père me bat tous les matins.
LE PROFESSEUR: Quelle horreur!
THÉO: Ce n'est pas si terrible.
Il se lève à 7 h et moi à 8 h.

QUELQUE CHOSE DE BON

Va à l'école, continue à apprendre,
Sois intelligent, franc, courtois.
S'ils font de la pénicilline avec du fromage moisi,
Ils feront bien quelque chose de bon avec toi.

UN DES ENFANTS DE MON ÉCOLE EST TRÈS BÊTE.

MAIS À QUEL POINT?

Il est tellement bête qu'il pourrait manger du foin.

*

Il est tellement bête qu'il trébuche sur son QI.

*

Il est tellement bête qu'il croit que les nouilles, c'est bon pour le cerveau.

*

Il est tellement bête qu'il fréquente des demeurés pour avoir l'impression d'être supérieur.

*

Il est tellement bête qu'il essaie d'éteindre les ampoules en soufflant.

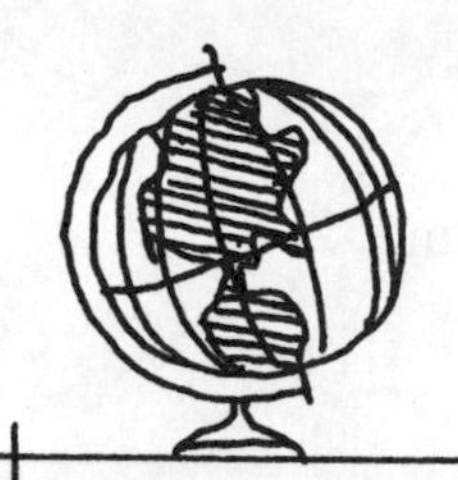

SACRÉE ÉCOLE!

Quel cours dois-tu sauter pour réussir ton année scolaire?
Le cours de parachutisme.

*

Quelle école a un panneau qui dit "Veuillez ne pas frapper?"
L'école de karaté.

Robert a du mal à comprendre l'arithètique. Le professeur essaie de lui faire comprendre grâce à des exemples.

LE PROFESSEUR: Robert, si tu plonges la main dan ta poche de droite et que tu trouves une pièce de 1 franc, puis si tu plonges ta main gauche dans ta poche de gauche et que tu trouves un autre franc, qu'est-ce que tu auras?

ROBERT: Le pantalon de quelqu'un d'autre, Monsieur.

*

LE PROFESSEUR: Donne-moi la définition de l'eau.

ERIC: C'est un liquide transparent et lorsque tu mets les main dedans il devient noir.

LE PROFESSEUR: Comment fais-tu pour être un parfait imbécile?

EDWIN: Je m'exerce beaucoup.

*

Que s'est-il passé lorsque le professeur a écrit sur le tableau: "Il faut passer l'éponge?"

Le gardien de l'école a pris un bain.

LE PROFESSEUR: As-tu pris un bain aujourd'hui?
THIERRY: Pourquoi, il en manque un?

Qu'est-ce qui est vert, mouillé et donne cours?

Le professeur du loch Ness.

"Émilie, dit le professeur, je ne sais pas ce que je vais faire de toi. Tout entre par une oreille et ressort par l'autre."

"Bien sûr, répond Emilie, n'est-ce pas pour cela que nous avons deux oreilles?"

Pourquoi le math est-il malheureux?

Il a trop de problèmes.

LE PÈRE: Simon, ton instituteur me dit que tu es le dernier de la classe.
SIMON: Et alors, papa? Qu'on soit assis devant ou derrière, on apprend tous la même chose.

10 RAISONS DE PLUS POUR LESQUELLES JE N'AI PAS MON DEVOIR

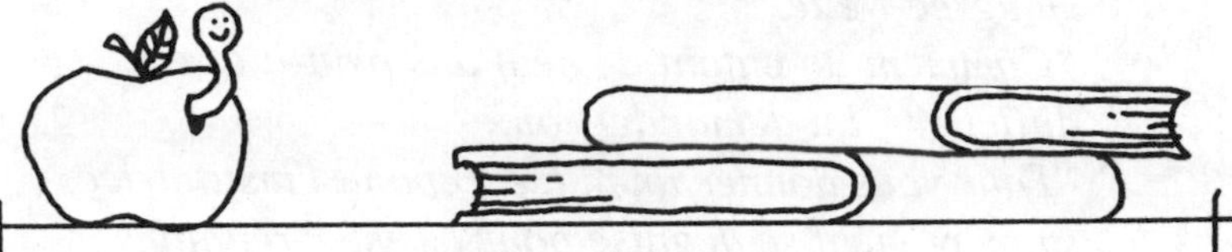

1. Une bourrasque de vent me l'a soudainement soufflé hors des mains et je ne l'ai plus retrouvé.
2. J'ai été kidnappé par des terroristes et ils viennent seulement de me relâcher. Je n'ai donc pas eu le temps de le faire.
3. Nous avons eu une panne d'èlectricité et j'ai dû le brûler afin de pouvoir trouver les fusibles.
4. Un enfant est tombé dans le lac et j'ai plongé pour le sauver. Mon devoir a coulé.
5. Je l'ai utilisé pour boucher un trou dans mon soulier.
6. Mon père a fait une dépression nerveuse et l'a coupé en morceaux.
7. Mes hamsters ont eu des bébés et l'ont utilisé pou faire un nid.
8. Je ne l'ai pas fait parce que je n'ai pas voulu ridiculiser les autres enfants de la classe.
9. J'en ai fait un avion en papier qui a été détourné par des pirates de l'air.
10. E.T. l'a emmené chez lui.

L'institutrice se plaint d'un de ses élèves.

"C'est l'élève le plus difficile que j'aie jamais eu," maugrée-t-elle.

"Comment un enfant de neuf ans peut-il être si difficile?" lui demande-t-on.

"Pour vous donner une idée, répond l'institutrice, sa mère vient se déguise pour assister réunions de l'association des parents d'élèves."

*

LOÏC:	Papa, il y a une petite réunion de parents demain à laquelle tu dois assister.
LE PÈRE:	Si elle est si petite, suis-je obligé d'y aller?
LOÏC:	Je le crains, papa. Ce sera juste entre toi, moi et mon instituteur.

“Personne ne m'aime à l'école, dit un fils à sa mère.
Ni les enfants, ni les professeurs. Je veux rester à la maison.”
“Tu dois y aller, mon fils, insiste la mère.
Tu n'es pas malade et tu as beaucoup à apprendre.
D'ailleurs, tu as 45 ans, tu es le directeur et tu dois aller
à l'école!”

SYLVIE: Toutes les critiques sur l'enseignement dans les journaux et les magazines sont entièrement justifiées.
LE PÈRE: Tu crois?
SYLVIE: Oui, je le pense. Et si tu veux des preuves, regarde les points horribles de mon bulletin.

*

NIC: Tu veux entendre l'histoire du crayon cassé?
NAC: Non, merci. Je suis sûre qu'elle ne paie pas de mine.

*

C'est le premier jour de classe et le nouveau professeur fait connaissance avec ses élèves.

“Et toi comment t'appelles-tu?”
“Martin.”
“Apprends que lorsque tu me parles, tu dois dire Monsieur.”
“Ah bon, très bien?”
“Reprenons. Comment t'appelles tu?”
“Monsieur Martin!”

LE DIRECTEUR:	Quand tu grandiras, Yves, je voudrais que tu deviennes un gentleman.
YVES:	Je ne veux pas devenir un gentleman, Monsieur. Je veux être comme vous.

*

"Tu ne trouves pas que le directeur est un pantin?" dit un garçon à une fille.
"Dis, tu sais qui je suis?" demande la fille.
"Non."
"Je suis la fille du directeur."
"Et sais-tu qui je suis?" quiète le garçon.
"Non," répond-elle.
"Ouf! Quelle chance!"

Les vieux directeurs ne meurent jamais,
ils perdent juste leurs facultés.

*

Les vieux professeurs ne prennent jamais leur retraite,
ils perdent juste leur classe.

12. Bagarre à la récréation

LE PROFESSEUR: Tout le monde sait que l'exercice tue les microbes.

LE COMIQUE DE LA CLASSE: Mais comment pousser les microbes à faire de l'exercice?

*

LE COMIQUE DE LA CLASSE: J'ai entendu une nouvelle blague l'autre jour. Je me demande si je vous l'ai racontée.

LE PROFESSEUR: Elle était marrante?

LE COMIQUE DE LA CLASSE: Oui.

LE PROFESSEUR: Alors non.

Nous en reparlerons lorsque ton cerveau sera revenu de vacances.

D'AUTRES MESSAGES POUR LE COMIQUE DE LA CLASSE

Des blagues de ce genre vont finir par rendre l'humour illégal.

Si Adam revenait sur Terre, la seule chose qu'il reconnaîtrait, ce serait tes blagues.

Cette blague est tellement mauvaise qu'il faut un microscope pour en voir l'astuce.

Cette blague était si bébête que même Kermit n'en voudrait pas.

LE PETIT JULIEN: Montre-moi un dur et je te montrerai un poltron.
LE GRAND TEIGNEUX: Je suis un dur.
LE PETIT JULIEN: Je suis un poltron.

*

LE DIRECTEUR: Pourquoi cours-tu dans le couloir?
GRÉGOIRE: Je cours pour mettre fin à une bagarre.
LE DIRECTEUR: C'est bien. Entre qui et qui?
GRÉGOIRE: Entre moi et le gars qui me poursuit!

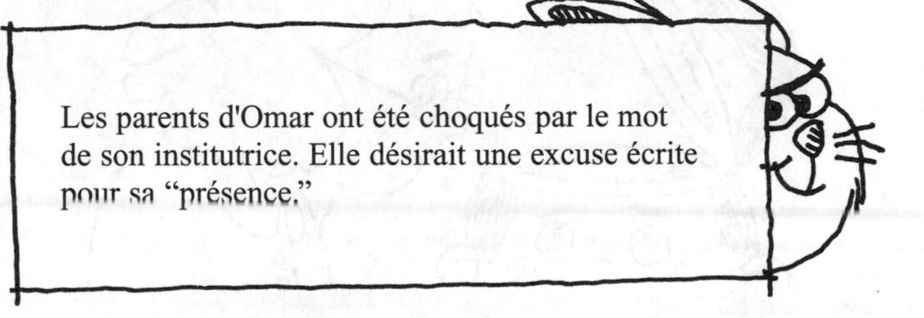

La maman de Jacques dit au papa:

> *"Jacques se plaint qu'il a mal à la tête. Je pense qu'il vaudrait mieux appeler le médicin."*
> *"Oh laisse tomber, il nous fait le coup au moins une fois par semaine!"*
> *"Oui, mais aujourd'hui, c'est la première fois qu'il le fait alors qu'il n'a pas à aller à l'école!"*

Le professeur d'anglais a reçu le mot suivant :
Veuillez excuser l'absence de ma fille.
Elle a une angine et peut à peine parler français.

INFIRMIÈRE: Je peux prendre ton pouls?
NICOLAS: Pourquoi? Vous n'avez pas le vôtre?

*

"J'ai le corps d'un athlète."
"Tu ferais mieux de le rendre. Tu vas le déformer."

Dans une équipe de football, l'entraîneur dit à un joueur:

"Aujourd'hui, tu vas jouer avant."
"Ah, non! Moi, je veux jouer avec les autres!"

*

Pourquoi les joueurs de foot ont-ils de bons résultats à l'école?

Parce qu'ils jouent de la tête.

*

Qui fut le coureur le plus rapide de tous les temps?

Adam. Il était le premier de la race humaine.

ANDY: Maman, on a joué au base-ball à l'école et j'ai pris la deuxième base.

MAMAN: File tout de suite à l'école et va la rendre.

Quand les boxeurs commencent-ils à porter des gants ?

Quand il fait froid.

L'INSTITUTRICE: Dis-moi, c'est ta grand-mère qui t'a amené à l'école aujourd'hui?

MARIE: Oui madame. Elle reste avec nous pour la Noël.

L'INSTITUTRICE: Ah oui, c'est bien ça. Et où est-ce qu'elle habite quand elle n'est pas à ta maison?

MARIE: À l'aéroport... C'est toujours là qu'on va le chercher.

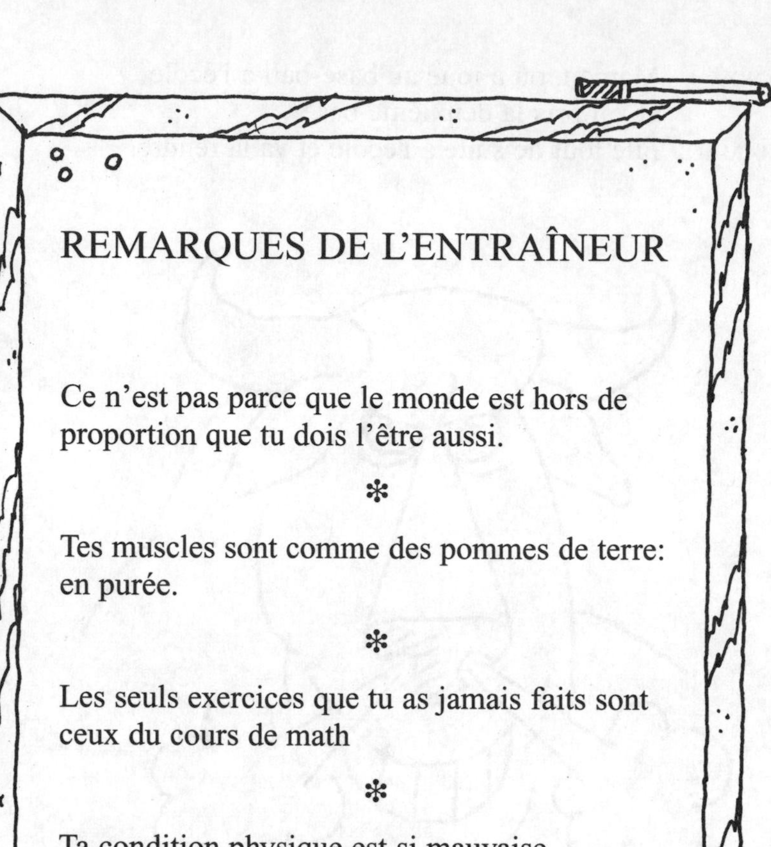

REMARQUES DE L'ENTRAÎNEUR

Ce n'est pas parce que le monde est hors de proportion que tu dois l'être aussi.

*

Tes muscles sont comme des pommes de terre: en purée.

*

Les seuls exercices que tu as jamais faits sont ceux du cours de math

*

Ta condition physique est si mauvaise
que tu serais essoufflé en jouant aux échecs.

*

Ta condition physique est si mauvaise que, si tu essayais de battre de la crème, la crème gagnerait.

*

Tu ferais un footballeur formidable.
Même ton haleine est agressive.

Pourquoi les avares sont-ils de bons profs de math?

Avec eux, chaque franc compte.

❋

Nathan est à l'université. Il écrit à son père.

Cher papa,

Par d'argent. Pas de bon temps.

Nathan

Son père lui répond:

Cher fils,

Quel tracas. Ça passera.

Papa

❋

LE PROFESSEUR: Raphaël, combien de fois t'ai-je déjà dit de ne pas parler sans permission?

RAPHAËL: Je ne savais pas que je devais les comptabiliser.

❋

MAMAN: Prudence, qu'as-tu appris à l'école aujourd'hui ?

PRUDENCE: J'ai appris à dire "Non, m'dame," "Oui, m'sieur," et "Oui, m'dame."

MAMAN: C'est vrai?

PRUDENCE: Ouais!

❋

AL: Mon père voudrait que j'aie tout ce qu'il n'a pas eu quand il était petit.

SAL: Qu'est-ce qu'il n'avait pas?

AL: Des bonnes notes à son bulletin.

❋

Philippe rencontre son ami Michel et lui dit:

"Je vais avoir un zéro en math!"

"Tu en es sur?"

"Aussi sur que 2 et 2 font 5."

LE PROFESSEUR: Le sport national en Espagne est la tauromachie. En Angleterre, c'est le cricket.

PERCEVAL: Je préférerais jouer en Angleterre.

LE PROFESSEUR: Pourquoi?

PERCEVAL: C'est plus facile de se battre contre des criquets.

QUENTIN: Mon frère est en train de se battre dans la cour.

LE DIRECTEUR *(se ruant dans le couloir)*: Depuis combien de temps?

QUENTIN: Une demi-heure, Monsieur.

LE DIRECTEUR: Et c'est seulement maintenant que tu m'appelles?

QUENTIN: Eh bien, jusqu'à présent, il gagnait.

13. Rires dans le labo

FRED: Quand je mourrai, je léguerai mon cerveau à la science.

NED: C'est gentil. Un petit rien fait toujours plaisir.

*

LE PROFESSEUR: Pourquoi le microbe a-t-il traversé le microscope?

SYLVIA: Pour atteindre l'autre lentille.

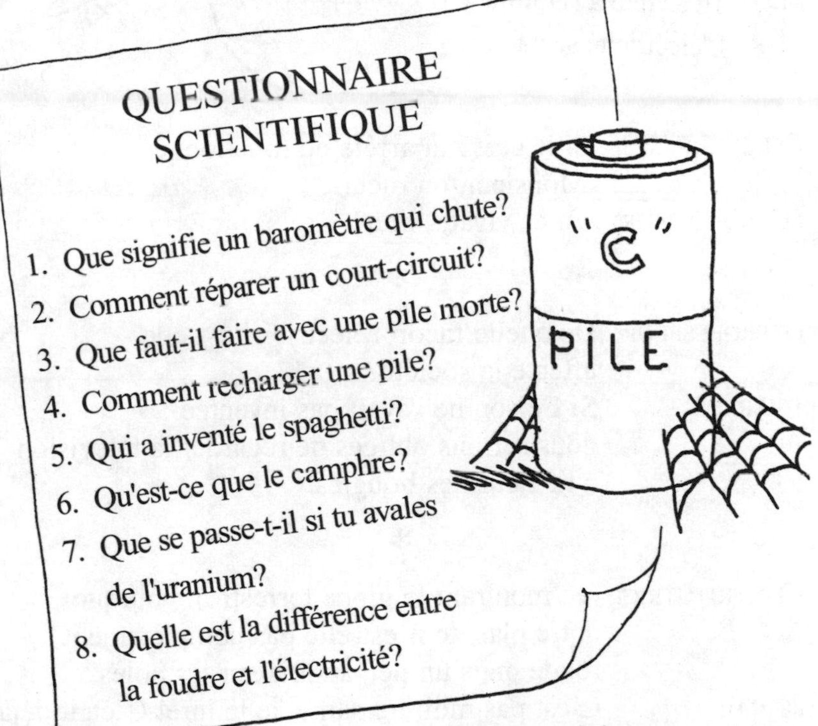

Réponses à la page suivante.

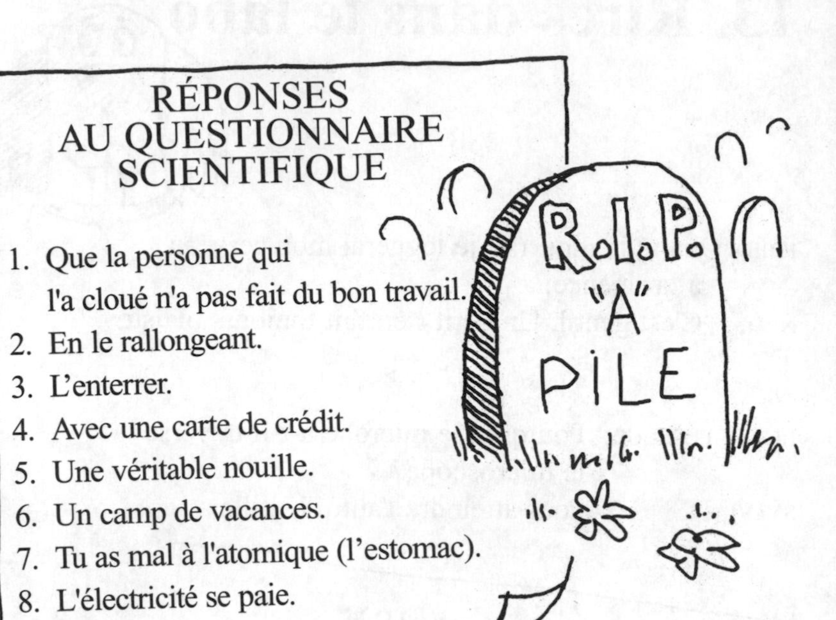

L'ÉLÈVE RECALÉ: Si le cerveau arrête de fonctionner, Monsieur, on meurt?

LE PROFESSEUR: Tu es vivant, non?

*

LE PROFESSEUR: De quelle façon l'électricité a-t-elle affecté la société?

THIERRY: Si Edison ne l'avait pas inventée, nous serions obligés de regarder la télévision à la lueur des bougies!

*

L'INSTRITUTRICE (en montrant le globe terrestre): Pourquoi notre planète n'est-elle pas complètement ronde mais un peu aplatie sur les pôles?

ROBERT: C'est pas moi, madame, je le jure! C'était déjà comme ça l'an passé!

Pourqoui les avares sont-ils de bon profs de math?

Avec eux, chaque franc compte.

*

LE PROFESSEUR: Linda, qu'est-ce qu'un vide?
LINDA: Cela ne me revient pas mais je l'ai en tête.

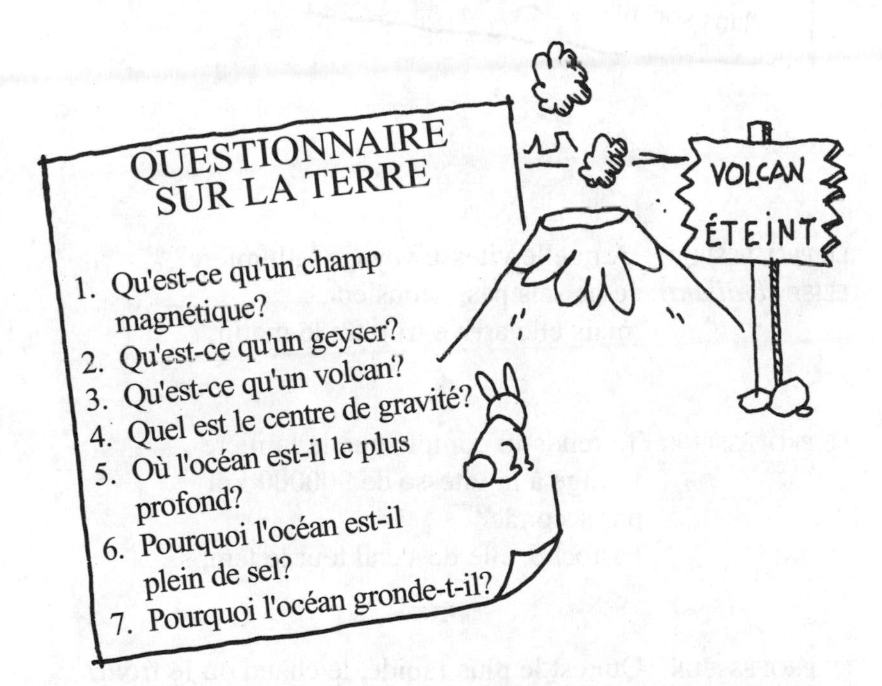

QUESTIONNAIRE SUR LA TERRE

1. Qu'est-ce qu'un champ magnétique?
2. Qu'est-ce qu'un geyser?
3. Qu'est-ce qu'un volcan?
4. Quel est le centre de gravité?
5. Où l'océan est-il le plus profond?
6. Pourquoi l'océan est-il plein de sel?
7. Pourquoi l'océan gronde-t-il?

Réponses à la page suivante.

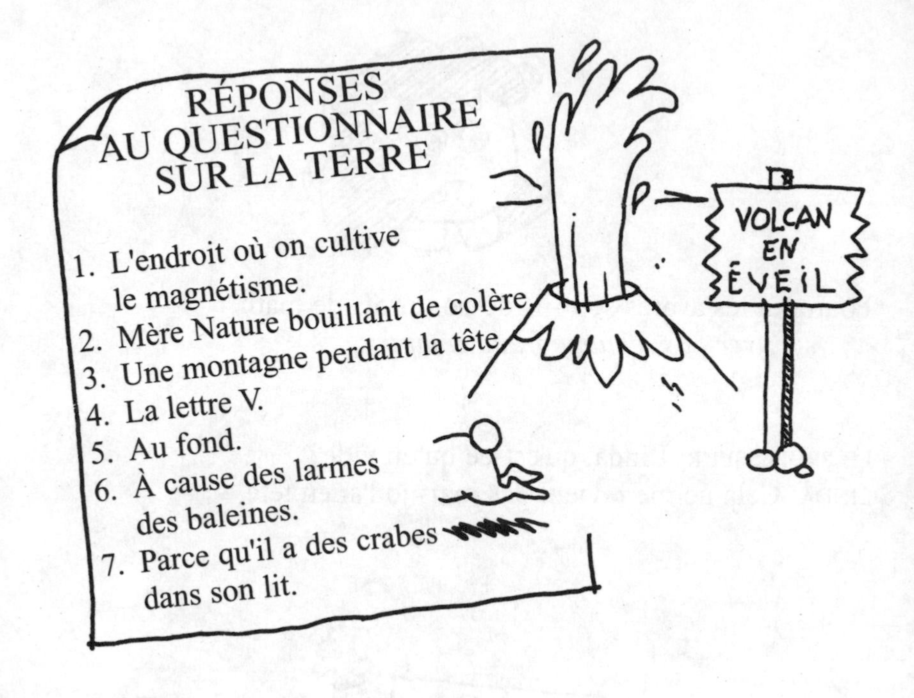

LE PROFESSEUR: À quelle vitesse voyage la lumière?
ÉLISE *(baillant)*: Je ne sais pas, Monsieur,
mais elle arrive trop tôt le matin.

*

LE PROFESSEUR: Te rends-tu compte que la lumière voyage à la vitesse de 300000 km par seconde?
GWEN: Fastoche, elle descend tout le temps.

*

LE PROFESSEUR: Qui est le plus rapide, le chaud ou le froid?
BENOÎT: Le chaud. On peut toujours attraper un froid.

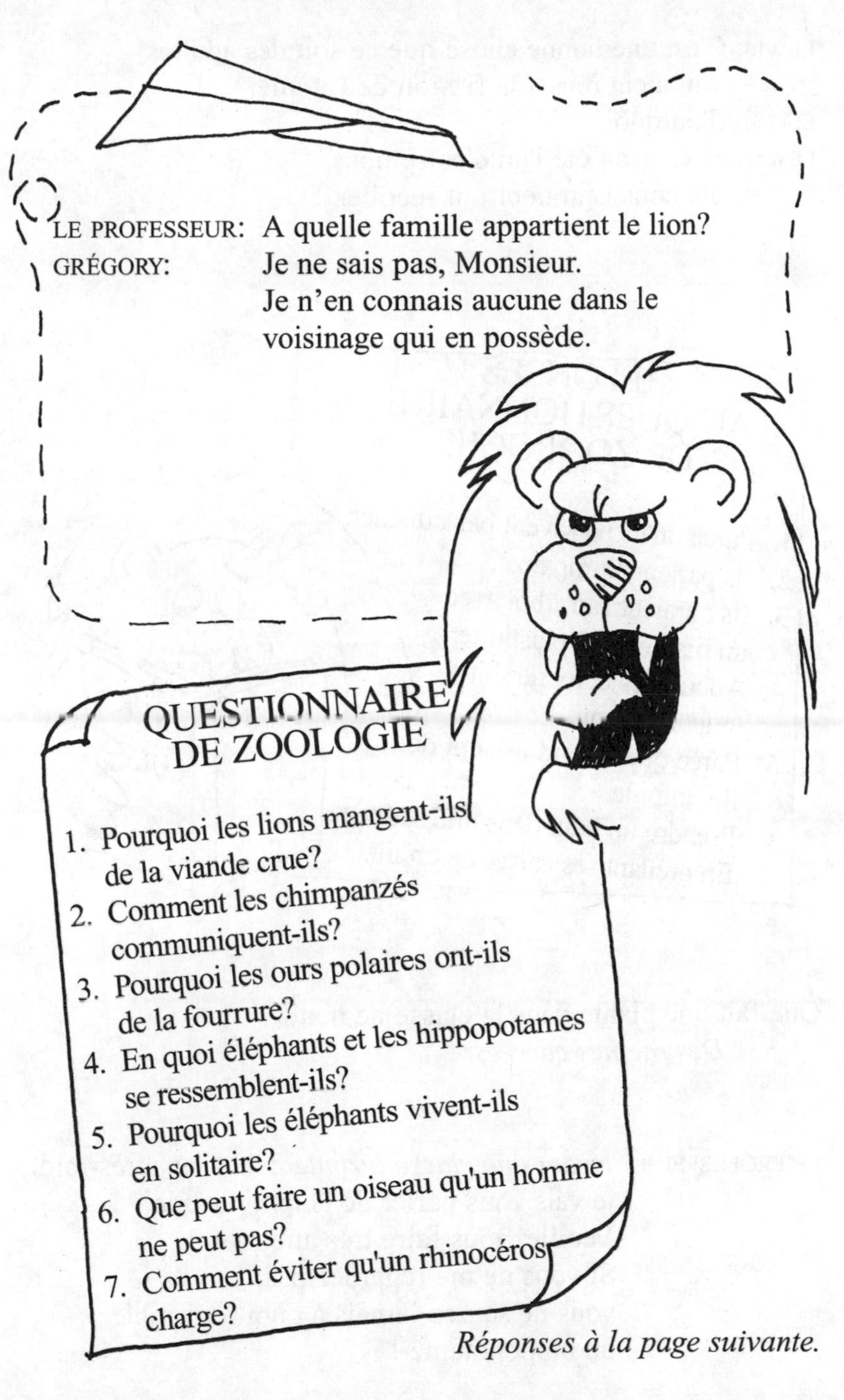

Réponses à la page suivante.

LEWIS: C'est une bonne chose que ce soit des adultes
qui aient réussi la fission de l'atome.

ELVIS: Pourquoi?

LEWIS: Si ça avait été l'un d'entre nous,
ils nous l'auraient fait recoller.

Que fait une plante dans la classe de math?
Des racines carrées.

LE PROFESSEUR *(devant une classe turbulente)* : Cet après-midi,
je vais vous parler de l'hippopotame.
Veuillez tous faire très attention !
Si vous ne me regardez pas,
vous ne saurez jamais à quoi ressemble
un hippopotame !

QUESTIONNAIRE DE L'ASTRONAUTE

1. Où les astronautes laissent-ils leurs vaisseaux?
2. Comment est le moral des astronautes le jour suivant leur retour sur Terre?
3. Comment les astronautes se lavent-ils?
4. Comment les astronautes perdus retrouvent-ils leur chemin?
5. Comment appelle-t-on un astronaute qui a le vertige?
6. Quel genre de cachets les astronautes prennent-ils?
7. Quel est le jeu préféré d'un astronaute?
8. Pourquoi être astronaute est-il un métier si étrange?

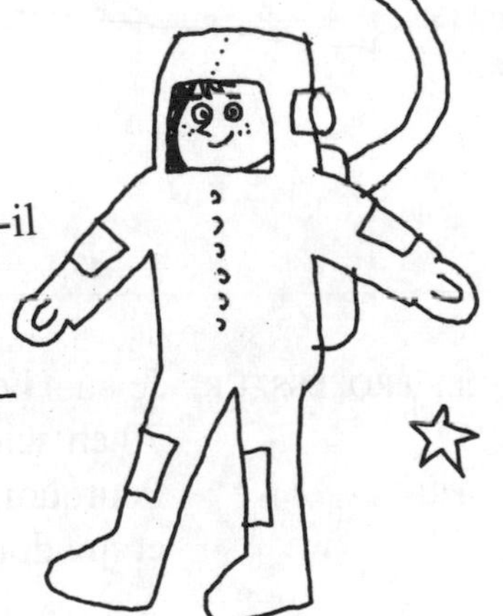

Réponses à la page suivante.

RÉPONSES AU QUESTIONNAIRE DE L'ASTRONAUTE

1. Aux parkings de météores.
2. Au plus bas.
3. Sous une pluie de météores.
4. Ils suivent la voie lactée.
5. Un raté.
6. Des capsules spatiales.
7. Le luna park.
8. Parce qu'il faut être allumé pour aller travailler.

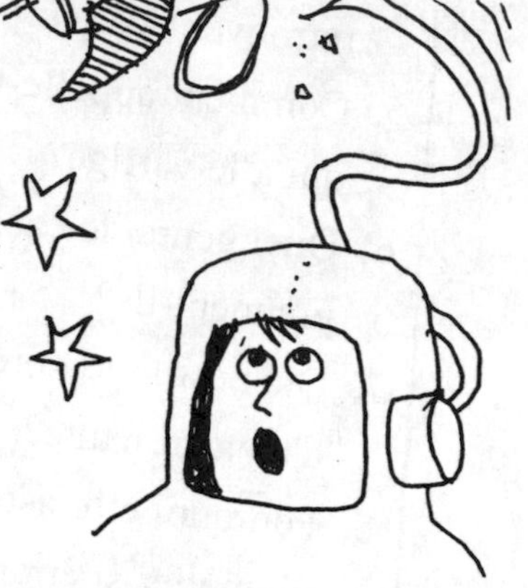

LE PROFESSEUR: Je suis heureux de pouvoir te donner 70 en science.

FRED: Pourquoi ne pas vous éclater à fond et me donner 100 ?

14. Marre de l'école

LE PROFESSEUR: Quand tu bâilles, tu es censé mettre la main devant la bouche.
WILLIAM: Quoi ? Et risquer de me mordre?

*

LE PROFESSEUR: Émile, tu ne m'écoutes pas. Tu as des problèmes d'audition?
ÉMILE: Non, Monsieur, j'ai des problèmes d'attention.

*

C'était un cours long et ennuyeux, mais Marie pensait devoir dire quelque chose de gentil au professeur.

"Je voudrais m'excuser de m'être assoupie, dit-elle, mais je veux que vous sachiez que je n'ai rien manqué."

*

LE PROFESSEUR: Pourquoi es-tu en retard?
CYNTHIA: Désolée, je n'ai pas su me réveiller.
LE PROFESSEUR: Tu veux dire que tu dors à la maison aussi?

*

LE PROFESSEUR: Nous n'aurons qu'un demi-jour d'école ce matin.
LA CLASSE: Youpie ! Hourra!
LE PROFESSEUR: Nous aurons l'autre moitié cet après-midi.

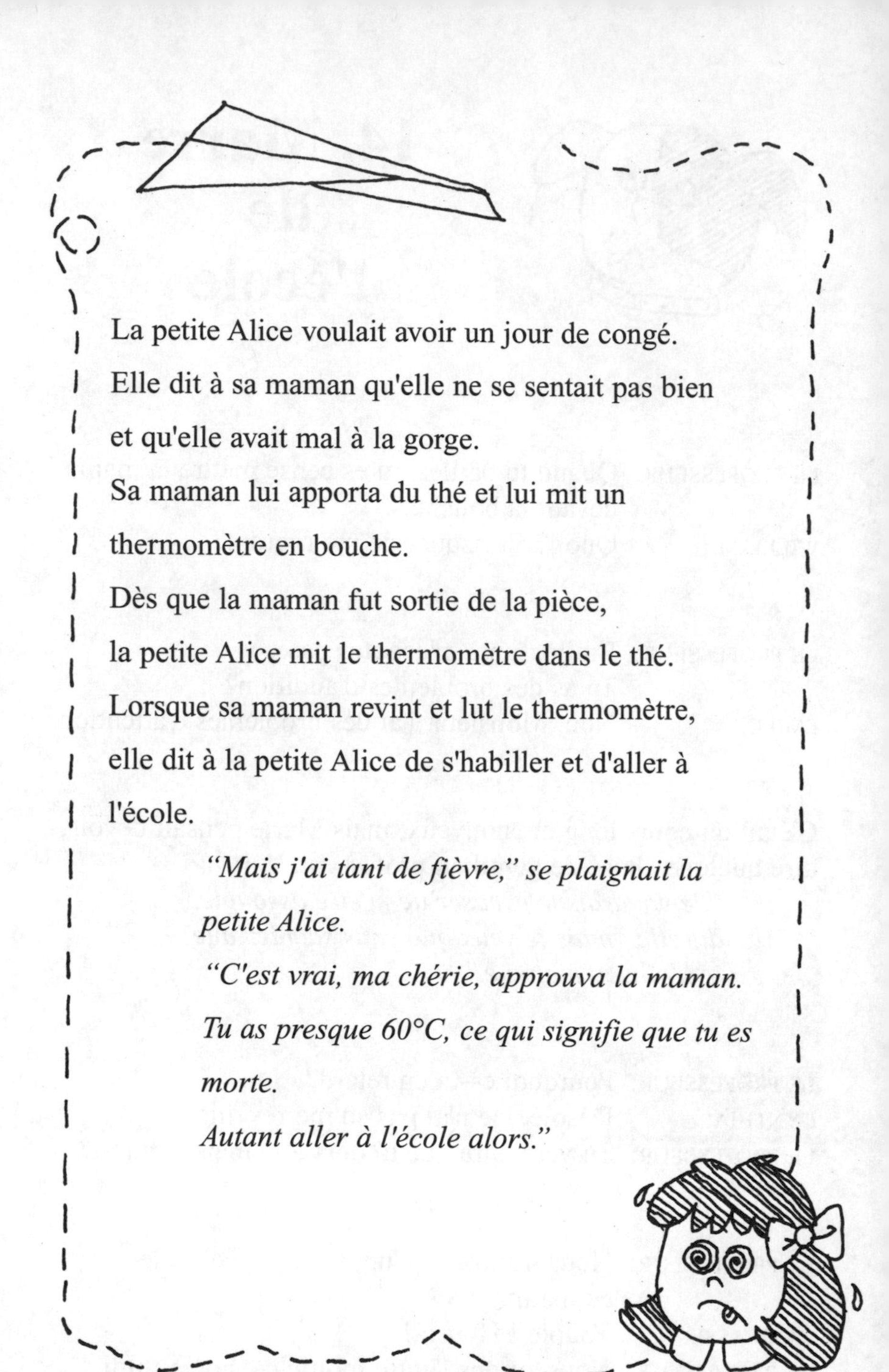

La petite Alice voulait avoir un jour de congé.

Elle dit à sa maman qu'elle ne se sentait pas bien et qu'elle avait mal à la gorge.

Sa maman lui apporta du thé et lui mit un thermomètre en bouche.

Dès que la maman fut sortie de la pièce, la petite Alice mit le thermomètre dans le thé.

Lorsque sa maman revint et lut le thermomètre, elle dit à la petite Alice de s'habiller et d'aller à l'école.

“Mais j'ai tant de fièvre,” se plaignait la petite Alice.

“C'est vrai, ma chérie, approuva la maman. Tu as presque 60°C, ce qui signifie que tu es morte.

Autant aller à l'école alors.”

UNE VOIX *(au téléphone)* : Mon fils a attrapé un mauvais rhume et ne pourra pas aller à l'école aujourd'hui.

LE DIRECTEUR DE L'ÉCOLE : Qui est à l'appareil ?

LA VOIX : C'est mon père qui vous parle.

LE MOT POUR RIRE

Faire l'école buissonnière, c'est comme avoir une carte de crédit : on s'amuse puis on paie.

Ris et la classe rit avec toi, mais tu es le seul à rester après les cours.

Certaines personnes s'abreuvent à la source du savoir, d'autres se contentent de se gargariser.

« L'esprit est une chose merveilleuse. »
« Pourquoi dis-tu cela ? »
« Parce qu'il se met à fonctionner dès que tu te lèves le matin et ne s'arrête que quand tu es interrogé en classe. »

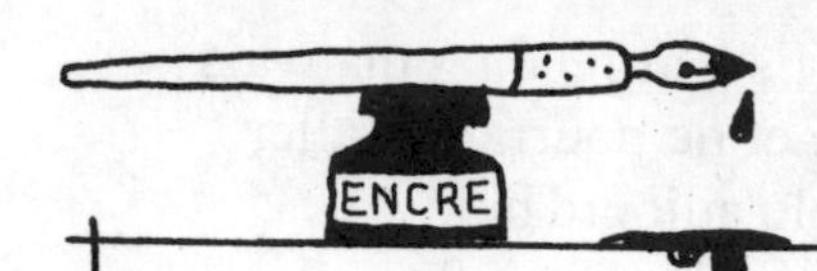

COMMENTAIRES DU PROFESSEUR SUR TA RÉDACTION

Tu n'as rien à dire, mais ça ne t'empêche pas de le dire.

*

Certaines personnes peuvent écrire sur n'importe quel sujet. Toi, tu n'as pas besoin de sujet.

*

Même mon perroquet a des idées plus lumineuses que les miennes.

*

KELLY : Je n'ai pas fait mon devoir parce que j'ai perdu la mémoire.
LE PROFESSEUR : Depuis combien de temps ?
KELLY : Depuis combien de temps quoi

*

"Aimes-tu aller à l'école?" demande la tante de Billy.
"L'aller, ça va, répond Billy. J'aime surtout le retour.
Mais ce qu'il y a entre ne m'intéresse pas vraiment."

*

L'institutrice en avait marre que les élèves regardent l'horloge accrochée au mur.
Elle la couvrit donc d'un panne au disant : "temps passe. Et vous?"

LE PROFESSEUR : Mathieu, j'aimerais passer une journée entière sans devoir te gronder !
MATHIEU : Vous avez ma permission.

MON PROFESSEUR

Mon professeur m'aime,
Je suis tellement gai
Qu'il me garde pour
La troisième année d'affilée.

LE PROFESSEUR : Didier, pourquoi ne me réponds-tu pas ?
DIDIER : Je vous ai répondu en agitant la tête.
LE PROFESSEUR : Tu n'espérais quand même pas que j'allais l'entendre résonner jusqu'ici ?

FLO : Notre professeur se parle à lui-même. Le tien aussi ?
JOE : Oui, mais il ne s'en rend pas compte. Il croit que nous l'écoutons !

Une petite fille rentre de l'école et demande à son père:
"Tu connais la dernière?"
"Non?"
"Et bien c'est moi!"

Qu'est ce qui est blanc quand il est sale et noir quand il est propre?
Le tableau noir!

Tu connais l'histoire du petit garçon qui a copié sur la feuille de son ami en math en utilisant un miroir ?

Toutes ses réponses étaient à l'envers.
Son ami a eu 93 et lui 39.

*

PAPA: Tu me montres ton carnet de notes?

FRANÇOIS: C'est Sébastien qui l'a. Je lui l'ai prête, il voulait faire peur à son père.

*

Quel ouvrage de référence reprend des hiboux connus?

Le "Who's Who."

*

Pourquoi le livre de math est-il malheureux?

Il a trop de problèmes.

*

Quel est le meilleur animal en math?

Les lapins. Ils (se) multiplient le plus vite.

LE PROFESSEUR: Faites-moi une phrase contenant un Complément d'Objet Direct.

ALEX: Je pense que vous êtes le meilleur prof de ce collège?

LE PROFESSEUR: Merci, mais quel est l'objet de cette phrase,

ALEX: De me payer une bonne note.

*

LE DIRECTEUR: Quel est votre nom, jeune homme?

LE GARÇON: Gaétan.

LE DIRECTEUR: Dites "Monsieur."

LE GARÇON: D'accord. Monsieur Gaétan!

*

LE PROFESSEUR: Une personne anonyme est une personne qui ne désire pas être connue.

UN ÉLÈVE: Quelle définition idiote!

LE PROFESSEUR: Qui a dit cela?

L'ÉLÈVE: Une personne anonyme.

Cette dernière blague sur le professeur était tellement mauvaise que nous l'avons mise à la fin du livre.

Vous avez entendu ma dernière blague ?
Je l'espère !

*